仏検
5級・4級
レベル相当!

JN100527

WEBで先生が解説してくれる

フランス語練習カイエ

Cahier d'exercices de français,
avec ressources en ligne

大久保 政憲

Bonjour !
Ça va ?

朝日出版社

まえがき

　フランス語に「鍛冶屋になるのは鍛冶をしながらだ。」（C'est en forgeant qu'on devient forgeron.）ということわざがあります。「能力は実践によって身につく。」という意味です。ことばの習得になぞらえるなら、大切なのはそのことばを使ってみることだということになります。文法の学習についても、肝心なのは、練習問題を通して多くの例文に触れ、それらを運用することです。この練習問題集では、現実に即した平易な例文を数多く提供します。

　この「フランス語練習カイエ」の特徴は、テーマ毎に見開き2ページで一つの課が構成され、練習問題を解くのに必要な語句やヒントも、そこに、ほとんどすべて提示されていることです。必要に応じてこれらを参考にすれば、学習は無理なくスムーズに進められることでしょう。

　ウェブ上には、フランス語の文法を、項目毎にコンパクトにまとめた、音声付きスライドも用意しました。スマートフォンやパソコンで、このスライドを見てから、あるいはそれを見ながら、練習問題をやるのも一つの方法です。また、ウェブ上には、フランスの言葉や歌などを軽く紹介したコラムもあります。フランス文化の多面性に触れる手掛かりの一つとなれば幸いです。

　この「カイエ」は16課構成で、このうちの1課から9課、および「会話表現」に、仏検（実用フランス語技能検定試験）の5級レベルの内容が網羅されています。使用単語のほとんども、この範囲に限定しています。ただし、9課の最上級と感嘆文は仏検5級には含まれません。

　16課まで進めば、仏検4級レベルに達することができます。10課以降の単語も、ほとんどは、仏検5級レベルと仏検4級レベルの範囲内です。

　この練習問題集が、フランス語学習の手助けとなることを願っています。

2021 年 初夏

著者

本書の音声について
　本書に収録している「聞き取り問題」や「表現」の音声は、ストリーミング・MP3 音声ファイルダウンロード方式でご用意しております。
音声は該当箇所に「♪」と表記しております。「00」部分がトラック番号です。
パソコン・スマートフォン・タブレット端末をお持ちの方は，下記 URL よりサービスをご利用ください。
https://text.asahipress.com/text-web/france/cahierdete/audio/
ストリーミング・ダウンロード以外の形式をご希望の方は、お手数ですがタイトル欄に【フランス語練習カイエ音声について】と明記の上、下記までお問合せください。
朝日出版社 第一編集部（euk@asahipress.com）

 文法解説・追加練習問題・コラムはこちら
https://text.asahipress.com/text-web/france/cahierdete/top/
各課左上にある二次元バーコードからも閲覧可能です。

  WEB 辞書はこちら
https://text.asahipress.com/text-web/france/cahierdete/dictionnaire/

※上記内容は、予告なく変更する場合がございます。あらかじめご了承ください。

もくじ

解説・音声・追加問題・コラム

1 名詞と不定冠詞・部分冠詞・定冠詞

* (*m.*) は男性名詞、(*f.*) は女性名詞

1 次の名詞に適切な不定冠詞 (un, une, des) を付けましょう。

1) (　　　) livre (*m.*)　本
2) (　　　) montre (*f.*)　腕時計
3) (　　　) oiseau (*m.*)　鳥
4) (　　　) vélos (*m.*) （複数形）　自転車
5) (　　　) voiture (*f.*)　車

2 次の名詞に適切な部分冠詞 (du, de la, de l') を付けましょう。

1) (　　　) café (*m.*)　コーヒー
2) (　　　) viande (*f.*)　食肉
3) (　　　) eau (*f.*)　水
4) (　　　) fromage (*m.*)　チーズ
5) (　　　) lait (*m.*)　ミルク

3 次の名詞に適切な定冠詞 (le, la, l', les) を付けましょう。

1) (　　　) gare (*f.*)　駅
2) (　　　) hôtel (*m.*)　ホテル　*hôtel の h は無音の h
3) (　　　) adresse (*f.*)　住所
4) (　　　) sacs (*m.*) （複数形）　バッグ
5) (　　　) vin (*m.*)　ワイン

4 例にならって名詞を複数形にし、空欄に記入しましょう。

例) C'est un sac.　　→ Ce sont des sacs.
　　これはバッグです。　→ これらはバッグです。

> 複数形にするには s を付ける。ただし
> -au → -aux ;
> -al → -aux ;
> -s, -x, -z → -s, -x, -z (不変)

1) C'est une montre. → Ce sont des ....
　これは腕時計です。　→ これらは腕時計です。

2) C'est un livre.　 → Ce sont des ....
　これは本です。　　→ これらは本です。

3) C'est une voiture. → Ce sont des ....
　これは車です。　　→ これらは車です。

4) C'est un oiseau.　→ Ce sont des ....
　これは鳥です。　　→ これらは鳥です。

5) C'est un bateau.　→ Ce sont des ....
　これは船です。　　→ これらは船です。

6) C'est un animal.   → Ce sont des ....

これは動物です。   → これらは動物です。

7) C'est un hôpital.   → Ce sont des ....

これは病院です。   → これらは病院です。

8) C'est un pays.   → Ce sont des ....

これは国です。   → これらは国です。

9) C'est un prix.   → Ce sont des ....

これは価格です。   → これらは価格です。

10) C'est un nez.   → Ce sont des ....

これは鼻です。   → これらは鼻です。

> C'est … これ（それ・あれ）は〜だ,
> Ce sont … これ（それ・あれ）らは〜だ,
> （これ・それ・あれの区別はない）

5 （　）に適切な不定冠詞か部分冠詞を記入しましょう。

1) Voilà (　　　　) livre.　そこに本があります。

2) Voici (　　　　) viande.　ここに肉があります。

3) Il y a (　　　　) oiseaux.　鳥（複数）がいます。

4) Voilà (　　　　) voitures.　そこに車（複数）があります。

5) Il y a (　　　　) fromage.　チーズがあります。

> Voilà … そこに〜があります
> Voici … ここに〜があります
> Il y a … 〜があります

6 フランス語を聞いて、（　）に適切な冠詞を記入しましょう。♪

01

1) C'est (　　　　) montre.

2) Il y a (　　　　) lait.

3) Voilà (　　　　) oiseau.

4) Ce sont (　　　　) livres.

5) C'est (　　　) adresse de (　　　) gare.

2 形容詞・所有形容詞・指示形容詞

* (*m.*) は男性名詞、(*f.*) は女性名詞

1 次の形容詞の女性形を記入しましょう。

1) court → (　　　　　) 短い
2) mauvais → (　　　　　) 悪い
3) vert → (　　　　　) 緑の
4) facile → (　　　　　) 簡単な
5) long → (　　　　　) 長い
6) bon → (　　　　　) 良い
7) cher → (　　　　　) 親しい、高価な
8) heureux → (　　　　　) 幸せな
9) blanc → (　　　　　) 白い
10) gros → (　　　　　) 大きい、太った

> 女性形にするには -e を付ける。ただし -e で終わる形容詞は女性形も同じ形。
> 例外 : longue, bonne, chère, heureuse, blanche, grosse など。

2 適切な形の形容詞を記入しましょう。

> 形容詞の多くは名詞の後に置く。

1) un chat (　　　　　) (黒い : noir / noire) 黒い猫
2) un oiseau (　　　　　) (青い : bleu / bleue) 青い鳥
3) un film (　　　　　) (フランスの : français / française) フランス映画
4) une maladie (　　　　　) (重い : sérieux / sérieuse) 重い病
5) de l'eau (　　　　　) (熱い : chaud / chaude) 湯 *eau (*f.*)
6) une table (　　　　　) (円形の : rond / ronde) 円卓
7) une ligne (　　　　　) (まっすぐな : droit / droite) 直線
8) une question (　　　　　) (難しい : difficile) 難しい質問
9) une rose (　　　　　) (赤い : rouge) 赤いバラ
10) du vin (　　　　　) (白い : blanc / blanche) 白ワイン

3 適切な形の形容詞を記入しましょう。[名詞の前に置く形容詞]

1) une (　　　　　) ville (大きな : grand / grande) 大都市
2) un (　　　　　) bateau (小さな : petit / petite) 小さな船
3) une (　　　　　) voiture (大型の、太った : gros / grosse) 大型車
4) une (　　　　　) fille (若い : jeune) 若い娘
5) un (　　　　　) paysage (きれいな : joli / jolie) きれいな景色

4 1) 〜 3) の各グループで、適切な形の形容詞を記入しましょう。［名詞の前に置く形容詞］

1) 美しい : beau, bel / belle

un (　　　　　) jardin　美しい庭園

un (　　　　　) arbre　美しい木

une (　　　　　) fleur　美しい花

2) 新しい : nouveau, nouvel / nouvelle

un (　　　　　) professeur　新しい先生

un (　　　　　) ami　新しい友人（男性）

une (　　　　　) amie　新しい友人（女性）

3) 年取った : vieux, vieil / vieille

un (　　　　　) monsieur　老人（丁寧な言い方）

un (　　　　　) homme　老人　*homme の h は無音の h

une (　　　　　) dame　老婦人（丁寧な言い方）

> bel, nouvel, vieil は男性第2形と呼ばれ，母音または無音の h で始まる男性単数名詞の前で用いる。

5 日本語に合った所有形容詞 (mon, ma, mes, ton, ta, tes, son, sa, ses, notre, nos, votre, vos, leur, leurs) を記入しましょう。

1) (　　　　　) père (*m.*)　彼（女）の父

2) (　　　　　) mère (*f.*)　彼（女）の母

3) (　　　　　) parents (*m.*)　彼（女）の両親

4) (　　　　　) lit (*m.*)　あなたのベッド

5) (　　　　　) école (*f.*)　きみの学校

> 母音または無音の h で始まる女性単数名詞の前では ma, ta, sa ではなく mon, ton, son を用いる。

6 適切な指示形容詞 (ce, cet, cette, ces) を記入しましょう。

1) (　　　　　) arbre (*m.*)　この（その）木

2) (　　　　　) orange (*f.*)　この（その）オレンジ

3) (　　　　　) filles (*f.*)　これらの（それらの）娘たち

4) (　　　　　) chaise-ci (*f.*)　この椅子

5) (　　　　　) film-là (*m.*)　その映画

> ce (cet, cette, ces) この・その・あの〜
>
> 遠近の区別はない。区別する時は –ci, -là を付ける。
>
> ce (cet, cette, ces) … -ci この〜
>
> ce (cet, cette, ces) … -là その・あの〜

7 フランス語を聞いて、選択肢の適語に〇を付けましょう。♪ 02

1) C'est (un, une) voiture (noir, noire).

2) C'est (mon, ton, son) école.

3) C'est du vin (chaud, chaude).

4) C'est (un, une) (bel, belle) arbre.

5) C'est (un, une) (vieil, vieille) homme.

チャレンジ問題 1

❶ （　　　）に適切な冠詞を記入しましょう。

1) Voilà (　　　) pantalon (*m.*). C'est (　　　) pantalon de Paul.
そこにズボンがあります。それはポールのズボンです。

2) Voici (　　　) jupe (*f.*). C'est (　　　) jupe de Marie.
ここにスカートがあります。それはマリーのスカートです。

3) (　　　) football (*m.*) est (　　　) sport (*m.*).
サッカーはスポーツの一つです。

4) (　　　)orange (*f.*) est (　　　) fruit (*m.*).
オレンジは果物の一つです。

5) Il y a (　　　) monde (*m.*) dans (　　　) gare (*f.*).　*monde（多くの）人々
駅には大勢の人々がいる。

❷ 例にならって、冠詞・名詞・形容詞を複数形にして、空欄に記入しましょう。

例) une voiture américaine → des voitures américaines アメリカの車

1) une question facile　　→ .... 簡単な問題
2) un chien blanc　　　　→ .... 白い犬
3) une ville japonaise　　→ .... 日本の都市
4) un oiseau jaune　　　→ .... 黄色い鳥
5) un bras rond　　　　　→ .... 丸みのある腕

❸ 例にならって、冠詞・名詞・形容詞を複数形にして、空欄に記入しましょう。

例) une haute montagne → de hautes montagnes　*haut(e) の h は有音の h

1) une jolie couleur　　→ .... きれいな色
2) un petit gâteau　　　→ .... 小さなケーキ
3) un bon élève　　　　→ .... 優秀な生徒
4) un grand parc　　　→ .... 大きな公園
5) une vieille maison　　→ .... 古い家

不定冠詞 des は［形容詞 + 複数名詞］の前では de になる。

4 例にならって形容詞と名詞を複数形にして、空欄に記入しましょう。

> 例) C'est un vieux chanteur. → Ce sont de vieux chanteurs.
> こちらは年配の歌手です。　→ こちらは年配の歌手たちです。

1) C'est un nouveau sport.　→ Ce sont de ....
   これは新しいスポーツです。　→ これらは新しいスポーツです。

2) C'est un beau pays.　→ Ce sont de ....
   これは美しい国です。　→ これらは美しい国々です。

3) C'est un film japonais.　→ Ce sont des ....
   これは日本映画です。　→ これらは日本映画です。

形容詞を複数形にするには s を付ける。

ただし -eau → -eaux ; -s, -x → -s, -x (不変)

詩のコーナー　声を出して読んでみましょう！　♪

J'ai des roses

J'ai des roses demi-closes

Du muguet et du jasmin

Jeunes filles si gentilles

Parfumez votre chemin

音声

　バラの花のつぼみがあるよ

　スズランも、ジャスミンも

　優しいお嬢さんたち

　通りをいい香りでいっぱいにしてね

（子供の遊び歌 comptine の一つ）

解説・音声・追加問題・コラム

主語人称代名詞、動詞 1 (être, avoir)、前置詞 1、疑問文、否定文 1

❶ 日本語に合った主語人称代名詞 (je, tu, il ...) を記入しましょう。

1) 私は　　（　　　　　）　　5) 私たちは　　　　（　　　　　　　）
2) きみは（　　　　　）　　6) あなた (たち) は（　　　　　　　）
3) 彼は　　（　　　　　）　　7) 彼らは　　　　　（　　　　　　　）
4) 彼女は（　　　　　）　　8) 彼女らは　　　　（　　　　　　　）

❷ être と avoir の直説法現在形を記入しましょう。

	être（〜である）			avoir（〜を持っている）	
je （　　　）	nous （　　　）	j' （　　　）	nous （　　　）
tu （　　　）	vous （　　　）	tu （　　　）	vous （　　　）
il （　　　）	ils （　　　）	il （　　　）	ils （　　　）
elle （　　　）	elles （　　　）	elle （　　　）	elles （　　　）

❸ 日本語に合わせて être あるいは avoir の適切な活用形を記入しましょう。

1) Il (　　　　　　) étudiant.　彼は学生だ。
2) Tu (　　　　　　) des frères ?　きみには兄弟はいるの？
3) J'(　　　　　　) une sœur.　私には姉妹がいます。
4) Elles (　　　　　　) françaises.　彼女たちはフランス人だ。
5) Vous (　　　　　　) professeur ?　あなたは教師ですか？

❹ (　) の中の前置詞のうち、適切な方に〇を付けましょう。

1) Nous sommes (à, de) Paris.　私たちはパリにいます。
2) C'est la voiture (avec, de) mon père.　それは私の父の車です。
3) Elle est (dans, pour) un restaurant.　彼女はレストランの中にいます。
4) Vous êtes (à, avec) vos enfants ?　あなたはお子さんたちといっしょにいるのですか？
5) Cette lettre est (de, pour) ma sœur.　この手紙は妹（姉）にあてたものだ。

❺ 例にならって正しい表現に書き改めましょう。

例) (à le → au) mois de mai　5月に

1) un café (à le →　　　　　) lait　一杯のカフェオレ
2) la porte (de le →　　　　　) restaurant　レストランの入り口
3) la couleur (de les →　　　　　) cheveux　髪の色
4) le marché (à les →　　　　　) fleurs　花市場
5) la musique (de le →　　　　　) Moyen Âge　中世音楽

> 前置詞 à, de の後に定冠詞 le, les が続くと形が変わる。
> à + le → au, à + les → aux
> de + le → du, de + les → des

6 je の例にならって、être と avoir の否定の活用形を記入しましょう。

être（〜である）

例) je ne suis pas | nous (　　　　　　)
tu (　　　　　　) | vous (　　　　　　)
il (　　　　　　) | ils (　　　　　　)
elle (　　　　　　) | elles (　　　　　　)

avoir（〜を持っている）

例) je n'ai pas | nous (　　　　　　)
tu (　　　　　　) | vous (　　　　　　)
il (　　　　　　) | ils (　　　　　　)
elle (　　　　　　) | elles (　　　　　　)

3

疑問文の作り方

① イントネーションによる：Tu es étudiant ?

② 文頭に Est-ce que (qu') を付ける：Est-ce que tu es étudiant ?

③ 主語代名詞と動詞を倒置する：Es-tu étudiant ?

* 倒置したら、動詞と主語代名詞の間にハイフン (–) を入れる。

7 次の疑問文に否定で答えましょう。

1) Tu es lycéen ?　きみは高校生なの？

— Non, je .... lycéen.　いや、高校生ではないよ。

2) Est-ce que vous êtes professeurs ?　あなた方は教師ですか？

— Non, nous .... professeurs.　いいえ、私たちは教師ではありません。

3) Est-ce qu'il a une voiture ?　彼は車を持っていますか？

— Non, il .... de voiture.　いいえ、彼は車を持っていません。

4) Avez-vous des crayons ?　あなたは鉛筆を持っていますか？

— Non, je .... de crayons.　いいえ、私は鉛筆を持っていません。

5) Ont-ils des enfants ?　彼らには子供はいますか？

— Non, ils .... d'enfants.　いいえ、彼らには子供はいません。

否定文では動詞の直接目的語の前の不定冠詞・部分冠詞は de (d') となる。

8 フランス語を聞いて、（　）に単語を記入しましょう。♪

04

1) Vous (　　　　　　) français ?

2) Je (　　　　　) dans un restaurant.

3) Elle (　　　　　) heureuse.

4) Tu as (　　　　　) sac ?　— Non, je n'ai pas (　　　　　) sac.

9

4

解説・音声・追加問題・コラム

動詞2（第1群規則動詞、不規則動詞 aller, venir, partir, finir）

1 parler（話す）の直説法現在形を記入しましょう。

je	( )	nous	( )
tu	( )	vous	( )
il	( )	ils	( )
elle	( )	elles	( )

第1群規則動詞 (-er 動詞) の語幹：
不定詞の語尾 -er を削除した残り
parler → parl ; chanter → chant
語尾：je -e　　nous -ons
　　　tu -es　　vous -ez
　　　il -e　　　ils -ent

2 次の第1群規則動詞の、それぞれの主語に対応した直説法現在形を記入しましょう。

1) commencer（始める）je 　(　　　　)　　7) chercher（探す）　　ils 　(　　　　　)

2) habiter（住む）　　tu 　(　　　　)　　8) acheter（買う）　　elles (　　　　　)

3) manger（食べる）　il 　(　　　　)　　9) appeler（呼ぶ）　　j' 　(　　　　　)

4) monter（登る、乗る）elle (　　　　)　　10) commencer（始める）nous (　　　　　)

5) penser（考える）　nous (　　　　)　　11) manger（食べる）　　nous (　　　　　)

6) préparer（準備する）vous (　　　　)　　12) appeler（呼ぶ）　　　nous (　　　　　)

第1群規則動詞 (–er 動詞) の例外

・nous, vous 以外が不規則
acheter：j'achète, tu achètes, il achète, nous achetons, vous achetez, ils achètent
appeler：j'appelle, tu appelles, il appelle, nous appelons, vous appelez, ils appellent

・nous が不規則
manger：nous mangeons
commencer：nous commençons

3 ( ) の中の第1群規則動詞の適切な活用形を記入しましょう。

1) Vous (　　　　　　) à votre famille ? (penser)　あなたは家族のことを考えていますか？

2) Je (　　　　　　) un appartement. (chercher)　私はアパルトマンを探している。

3) J'(　　　　) à Nice. (habiter)　私はニースに住んでいる。

4) Tu (　　　　　　) un billet aller-retour ? (acheter)　きみは往復切符を買うの？

5) Nous (　　　　　　) à apprendre le français. (commencer)
　 私たちはフランス語を学び始める。

4 aller と venir の直説法現在形を記入しましょう。

	aller（行く）				venir（来る）	
je （ ）	nous （ ）		je （ ）	nous （ ）
tu （ ）	vous （ ）		tu （ ）	vous （ ）
il （ ）	ils （ ）		il （ ）	ils （ ）
elle （ ）	elles （ ）		elle （ ）	elles （ ）

5 日本語に合わせて aller あるいは venir の適切な活用形を記入しましょう。

1) Je ( ) à Lyon.　私はリヨンに行く。
2) Tu ( ) de Paris.　きみはパリから来る。
3) Nous ( ) en France.　私たちはフランスに行く。
4) Vous ( ) d'Italie.　あなたはイタリアから来る。
5) Il ( ) au Portugal.　彼はポルトガルに行く。
6) Elle ( ) du Japon.　彼女は日本から来る。

日本へ : au Japon
フランスへ : en France
日本から : du Japon
フランスから : de France
*Japon (*m.*), France (*f.*)

6 partir と finir の直説法現在形を記入しましょう。

	partir（出発する）				finir（終える）	
je （ ）	nous （ ）		je （ ）	nous （ ）
tu （ ）	vous （ ）		tu （ ）	vous （ ）
il （ ）	ils （ ）		il （ ）	ils （ ）
elle （ ）	elles （ ）		elle （ ）	elles （ ）

*sortir（出る）も同型活用　　　　　*choisir（選ぶ）も同型活用

7 日本語に合わせて動詞を choisir, finir, partir, sortir から選び、その適切な活用形を記入しましょう。

1) Nous .... de la maison à huit heures.　私たちは 8 時に家を出発する。
2) Je .... du bureau à dix-sept heures.　私はオフィスを 17 時に出る。
3) Il .... des livres à la bibliothèque.　彼は図書館で本を選ぶ。
4) Je .... le repas avec un café.　私はコーヒーを飲んで食事を終える。

8 フランス語を聞いて、（ ）に Je, Tu, Elle, Vous, Ils のどれかを記入し、また、選択肢の適語に〇を付けましょう。♪
05
1) ( ) (aller, allez) à Lyon.
2) ( ) (viens, vient, viennent) du Japon.
3) ( ) (sors, sort, sortent) du bureau.

5 動詞 3、不定代名詞、否定文 2、前置詞 2

1 pouvoir, vouloir, devoir の直説法現在形を記入しましょう。

pouvoir（〜できる）	vouloir（〜を欲しい）	devoir（〜しなければならない）
je （　　　）	je （　　　）	je （　　　）
tu （　　　）	tu （　　　）	tu （　　　）
il （　　　）	il （　　　）	il （　　　）
elle （　　　）	elle （　　　）	elle （　　　）
nous （　　　）	nous （　　　）	nous （　　　）
vous （　　　）	vous （　　　）	vous （　　　）
ils （　　　）	ils （　　　）	ils （　　　）
elles （　　　）	elles （　　　）	elles （　　　）

2 日本語に合わせて動詞を pouvoir, vouloir, devoir から選び、その適切な活用形を記入しましょう。

1) Vous (　　　　　) du vin ?

　　ワインはいかがですか？

2) Elle (　　　　　) réussir au travail.

　　彼女は仕事で成功することを望んでいる。

3) Je (　　　　　) aller à votre bureau demain.

　　私は明日あなたのオフィスに行くことができます。

4) Les enfants (　　　　　) jouer au football.

　　子供たちはサッカーをすることができる。

5) Nous (　　　　　) préparer notre voyage.

　　私たちは旅行の準備をしなければならない。

3 次の動詞の je と nous に対する直説法現在形を記入しましょう。

1) apprendre（学ぶ）　　　　　　　　　j' (　　　　　)　　　nous (　　　　　)

2) boire（飲む）　　　　　　　　　　　je (　　　　　)　　　nous (　　　　　)

3) connaître（人・事物を知っている）　je (　　　　　)　　　nous (　　　　　)

4) faire（する、作る）　　　　　　　　je (　　　　　)　　　nous (　　　　　)

5) mettre（置く、入れる）　　　　　　je (　　　　　)　　　nous (　　　　　)

6) prendre（取る）　　　　　　　　　je (　　　　　)　　　nous (　　　　　)

4 （　）に適切な不定代名詞（on, quelqu'un, personne, quelque chose, rien）を記入しましょう。

1) (　　　　　　　) boit du vin rouge ou du vin blanc avec de la viande ?

　— (　　　　　　　) boit du vin rouge.

　（人々は）肉には赤ワイン、それとも白ワインを飲みますか？ — 赤ワインを飲みます。

2) Vous connaissez (　　　　　　　) ? — Non, je ne connais (　　　　　　　).

　どなたかをご存じですか？ — いいえ、誰も知りません。

3) Vous prenez (　　　　　　) à boire ? — Non, je ne prends rien.

　何か飲み物を取りますか？ — いいえ、何も取りません。

4) (　　　　　　　) va au cinéma ce soir ? — Oui, bien sûr.

　（私たちは）今夜映画を見に行く？ — もちろんだよ。

5) Il y a quelque chose de nouveau ? — Non, il n'y a (　　　　　　) de nouveau.

　何か新しいことはありますか？ — いいえ、新しいことは何もありません。

> 💡 on：人は、人々は；私たちは

5 日本語に合わせて否定の応答文を完成させましょう。

> 参考： ne ... plus もう〜ない , ne ... jamais 決して〜ない

1) Tu habites toujours à Bordeaux ? — Non, je .... à Bordeaux.

　きみは相変わらずボルドーに住んでいるの？ — いや、もうボルドーには住んでいないんだ。

2) Vous jouez du piano ? — Non, je .... de piano.

　あなたはピアノを弾きますか？ — いいえ、私はもうピアノを弾きません。

3) Vous allez toujours à la piscine ? — Non, nous .... à la piscine.

　あなたたちは今でもプールに行っていますか？ — いいえ、私たちはもうプールには行きません。

4) Il boit du vin blanc ? — Non, il .... de vin blanc.

　彼は白ワインを飲みますか？ — いいえ、彼は決して白ワインは飲みません。

5) Tu mets du lait dans le café ? — Non, je .... de lait dans le café.

　きみはコーヒーにミルクを入れるの？ — いや、ぼくは、コーヒーにミルクは決して入れないよ。

6 適切な前置詞を語群から選んで記入し、フランス語を聞いて確かめましょう。♪
06

> 語群： avant, après, devant, derrière, pendant

1) Il y a du monde (　　　　　　) la boutique.　店の前にたくさんの人がいる。

2) Il fait du jogging (　　　　　　) le petit déjeuner.　彼は朝食前にジョギングをする。

3) (　　　　　　) la pluie vient le beau temps.

　［諺］雨の後には晴天が訪れる。（苦難には必ず終わりがある。苦あれば楽あり。）

4) J'apprends à nager (　　　　　　) les vacances.　私はヴァカンスの間に水泳を習う。

5) (　　　　　　) le grand magasin, il y a un parking.　デパートの裏にパーキングがある。

チャレンジ問題 2

1 例を参考に次の疑問文を倒置疑問文に変え、肯定と否定で答えましょう。

例）Tu es lycéen ? → Es-tu lycéen ?

Il a une voiture ? → A-t-il une voiture ?

Vous avez des crayons ? → Avez-vous des crayons ?

* 倒置した動詞と主語代名詞の間にはハイフン (–) を付けます。
また、a-t-il, a-t-elle のように、主語が il, elle で、動詞の活用形が -e か -a で終わる時は -t- を付けます。

1）Vous êtes français ? → .... français ？　あなたはフランス人ですか？

— Oui, je .... français.　はい、私はフランス人です。

— Non, je .... français.　いいえ、私はフランス人ではありません。

2）Il est gros ? → .... gros ？　彼は太っていますか？

— Oui, il .... gros.　はい、彼は太っています。

— Non, il .... gros.　いいえ、彼は太っていません。

3）Tu as des questions ? → .... des questions ？　質問はある？

— Oui, j'.. des questions.　うん、あるよ。

— Non, je .... de questions.　いや、質問はないよ。

4）Elle a un chien ? → .... un chien ？　彼女は犬を飼っていますか？

— Oui, elle .... un chien.　はい、彼女は犬を飼っています。

— Non, elle .... de chien.　いいえ、彼女は犬を飼っていません。

5）Tu es malade ? → .... malade ？　きみは病気なの？

— Oui, je .... malade.　そう、病気なんだ。

— Non, je .... malade.　いや、私は病気ではないよ。

否定の de (d') を忘れないで！ (p.9 **7**を参照)

2 次の否定疑問文に肯定と否定で答えましょう。

1）Tu n'es pas à Tokyo ?　きみは東京にはいないの？

— Si, je .... à Tokyo.　いや、東京にいるよ。

— Non, je .... à Tokyo.　そう、東京にはいないんだ。

2）Il n'est pas avec sa mère ?　彼は母親と一緒ではないのですか？

— Si, il .... avec sa mère.　いいえ、母親と一緒ですよ。

— Non, il .... avec sa mère.　はい、母親と一緒ではありません。

3）Elle n'est pas heureuse ?　彼女は幸せではないのですか？

— Si, elle .... heureuse.　いや、彼女は幸せです。

— Non, elle .... heureuse.　はい、彼女は幸せではないのです。

4) Vous n'avez pas de questions ?　質問はありませんか？

　　— Si, j'.. des questions.　いや , 質問があります。

　　— Non, je .... de questions.　はい、質問はありません。

5) Tu n'as pas de chat ?　きみは猫を飼っていないの？

　　— Si, j'.. un chat.　いや、猫を飼っているよ。

　　— Non, je .... de chat.　そう、猫を飼っていないんだ。

❸ 次の文を否定文にしましょう。

　参考 : ce n'est pas, ce ne sont pas, il n'y a pas

1) C'est un lit. → Ce .... un lit.　それはベッドではない。

2) Ce sont des hôtels. → Ce .... des hôtels.　それらはホテルではない。

3) Il y a des pommes. → Il .... de pommes.　リンゴはありません。

❹ 次の動詞の je と nous に対する直説法現在形を記入しましょう。

1) attendre（待つ）　　　　　　j' （　　　　　）　nous （　　　　　）

2) courir（走る）　　　　　　　je （　　　　　）　nous （　　　　　）

3) lire（読む）　　　　　　　　je （　　　　　）　nous （　　　　　）

4) ouvrir（開く）　　　　　　　j' （　　　　　）　nous （　　　　　）

5) savoir（事実・情報を知っている）je （　　　　　）　nous （　　　　　）

6) voir（見る、見える、会う）　　je （　　　　　）　nous （　　　　　）

　　　*savoir の目的語となる名詞は la nouvelle, la vérité などに限定される。

❺ （　　）の中の動詞の適切な活用形を記入しましょう。

1) Je (　　　　　　　) des livres dans le métro. (lire)　私は地下鉄の中で本を読む。

2) Vous (　　　　　　　) une église au loin ? (voir)　遠くに教会が見えますか？

3) Ils (　　　　　　) très vite. (courir)　彼らはとても速く走る。

4) J'(　　　　　) la fenêtre. (ouvrir)　私は窓を開ける。

5) Ils (　　　　　) la vérité. (savoir)　彼らは真実を知っている。

6) J'(　　　　　　) le bus pour aller à l'école. (attendre)

　　私は学校に行くためにバスを待っている。

6

解説・音声・追加問題・コラム

非人称構文、命令法

1 日本語に合わせて、語群と数詞から適切な語句を選んで空欄に記入し、応答文を完成させましょう。

> 語群：et demie, et quart, midi, minuit
> 数詞：**1** un (une), **2** deux, **3** trois, **4** quatre, **5** cinq, **6** six, **7** sept, **8** huit, **9** neuf,
> **10** dix, **11** onze, **12** douze, **13** treize, **14** quatorze, **15** quinze, **16** seize,
> **17** dix-sept, **18** dix-huit, **19** dix-neuf, **20** vingt

Il est quelle heure ?　何時ですか？

1) — Il est .... heures ....　7 時 10 分です。
2) — Il est .... heures ....　11 時半です。
3) — Il est .... heures ....　9 時 15 分です。
4) — Il est ....　正午です。

2 日本語に合わせて、語群から適切な語句を選んで空欄に記入し、応答文を完成させましょう。

> 語群：beau, chaud, froid, mauvais, pleut

Il fait quel temps ?　どんな天気ですか？

1) — Il fait ....　いい天気です。
2) — Il fait ....　天気が悪いです。
3) — Il fait ....　暑いです。
4) — Il fait ....　寒いです。
5) — Il ....　雨が降っています。

3 語群の語句を使って文を完成させましょう。使用しない語句もあります。

> 語群：acheter, vendre, à boire, à manger,
> de l'argent, des légumes bio, un chat, un chien, une heure,
> quelque chose, quelqu'un, à pied, dans le jardin

1) Il faut ....　有機栽培の野菜を買わなければならない。
2) Il faut ....　お金が必要です。
3) Il faut ....　歩いて 1 時間かかります。
4) Il y a ....　庭園に犬がいます。
5) Il y a .... ?　何か食べるものはありますか？

4 fermer（閉じる）と sortir（出る）の tu，nous，vous に対応した現在形の活用を記入し、
次に、tu, nous, vous に対する命令形の活用を、それぞれ（　）に記入しましょう。

　　　fermer の現在形　　　　　　　　　　　fermer の命令形

tu　（　　　　　　）　　　tu に対して：　（　　　　　　）閉じなさい

nous （　　　　　　）　　　nous に対して：（　　　　　　）閉じましょう

vous （　　　　　　）　　　vous に対して：（　　　　　　）閉じなさい

　　　sortir の現在形　　　　　　　　　　　sortir の命令形

tu　（　　　　　　）　　　tu に対して：　（　　　　　　）出なさい

nous （　　　　　　）　　　nous に対して：（　　　　　　）出ましょう

vous （　　　　　　）　　　vous に対して：（　　　　　　）出なさい

> 命令形では
> tu の活用語尾が -es, -as なら s を取る。

5 次の文を命令文に書き換えましょう。

1）Vous allez chez le médecin, s'il vous plaît.

→ .... 医者に行ってください。

2）Tu dis le mot de passe.

→ .... パスワードを言いなさい。

3）Nous attendons un moment.

→ .... ちょっと待ちましょう。

4）Tu ne sors pas de la ville, s'il te plaît.

→ .... 町から出ないでね。

5）Vous ne fermez pas la porte.

→ .... ドアを閉めないで。

> 否定命令（〜するな）
> Tu ne fermes pas.
> → Ne ferme pas.

6 フランス語を聞いて選択肢の適語に〇を付けましょう。♪ 07

1）Il (faut, fait, est) quelle heure ?

2）Il (faut, fait, est) aller chez le médecin.

3）Il (faut, fait, est) chaud.

4）(Fermes, Fermer, Fermez) la fenêtre, s'il vous plaît.

5）(Attends, Attend, Attendez) un moment.

解説・音声・追加問題・コラム

近接未来、近接過去、avoir の成句（avoir chaud, ...）

1 例にならって、次の文を近接未来形（aller + 不定詞）の文に書き換えましょう。

例) Je mange de la viande. (manger) → Je vais manger de la viande.
　　私は肉を食べる。→ 私は肉を食べるつもりだ。

1) Je prends un jus d'orange aujourd'hui. (prendre)
→ ....
私は今日はオレンジジュースを飲むことにする。

2) Nous déjeunons dans un restaurant japonais. (déjeuner)
→ ....
私たちは日本レストランで昼食をとるつもりだ。

3) Il envoie une lettre de remerciement à l'hôpital. (envoyer)
→ ....
彼は病院に礼状を送るつもりだ。

4) Elles font les courses cet après-midi. (faire)
→ ....
彼女たちは今日の午後、買いものをするつもりだ。

5) Tu connais le secret de son succès. (connaître)
→ ....
きみは彼の成功の秘密を知るだろう。

2 例にならって、次の文を近接過去形（venir de + 不定詞）の文に書き換えましょう。

例) Il finit le repas. (finir) → Il vient de finir le repas.
　　彼は食事を終える。　→ 彼は食事を終えたばかりだ。

1) J'ouvre un compte chez BNP. (ouvrir)
→ .... 私は BNP 銀行に口座を開いたところです。

2) Son dernier roman sort. (sortir)
→ .... 彼の最新の小説が刊行されたところだ。

3) Elles arrivent à Paris. (arriver)
→ .... 彼女たちはパリに着いたばかりだ。

4) Il met fin à ses activités politiques. (mettre)
→ .... 彼は政治活動に終止符を打ったところだ。

5) Vous lisez un livre de cet auteur. (lire)
→ .... あなたはこの作家の本を読んだばかりだ。

❸ avoir の成句を使って、日本語に合った応答文を完成させましょう。

参考：avoir + chaud, froid, faim, soif, raison, tort, mal, sommeil

1）Tu as faim ? きみは空腹なの？
　　— Non, j'ai (　　　　　　　). いや、のどが渇いているんだ。
2）Tu as chaud ? きみは暑いの？
　　— Non, j'ai (　　　　　　　). いや、寒いんだ。
3）Il a raison ? 彼の言っていることは正しいですか？
　　— Non, il a (　　　　　　　). いや、彼は間違っています。
4）Elle a mal à la tête ? 彼女は頭が痛いのですか？
　　— Non, elle a (　　　　　　) à la main. いいえ、手が痛いのです。
5）Vous avez sommeil ? あなたは眠いのですか？
　　— Non, j'ai (　　　　　　) aux yeux. いいえ、目が痛いのです。

❹ フランス語を聞いて、選択肢の適語に〇を付けましょう。♪08

1）Elle va (fais, fait, faire) les courses.
2）Je viens de (sors, sortir, sortent) de la maison.
3）Nous allons (prends, prend, prendre) un taxi.
4）Il vient de (voir, voit, voient) un film.
5）Nous (allons, avons) sommeil.

────────────────────────────

詩のコーナー　声を出して読んでみましょう！　♪09

Sous le pont Mirabeau coule la Seine	ミラボー橋の下 セーヌは流れる
Et nos amours	そして私たちの恋も
Faut-il qu'il m'en souvienne	思い出さなければならないのだろうか
La joie venait toujours après la peine	喜びはいつも苦しみのあとに来たのを
Vienne la nuit sonne l'heure	夜よ来い、時を告げよ
Les jours s'en vont je demeure	日々は去り私はとどまる

(Le Pont Mirabeau, Guillaume Apollinaire より)

疑問代名詞、疑問形容詞、疑問副詞、数量表現

1 語群から適切な疑問代名詞を選び、空欄に記入しましょう。また、応答文も完成させましょう。

語群：Qu'est-ce que (qu') 何を・何， Qui est-ce que (qu') 誰を， Qui 誰が・誰

1) .... il mange ?　— .... du poison.
　彼は何を食べますか？　— 彼は魚を食べます。

2) .... ils invitent ?
　— .... monsieur et madame Martin.
　彼らは誰を招待しますか？　— マルタン夫妻を招待します。

3) .... est cette fille ?　— C'est Juliette.
　この少女は誰ですか？　— ジュリエットです。

4) .... êtes-vous ?　— Je suis le père de Léon.
　あなたは誰ですか？　— 私はレオンの父親です。

5) .... c'est ?　— C'est une chaise.
　これは何ですか。　— 椅子です。

6) .... parle français ?　— C'est cet étudiant.
　誰がフランス語を話しますか？　— この学生です。

7) .... vient ce soir ?　— C'est Julien.
　今夜は誰が来ますか？　— ジュリアンです。

2 （　）に適切な疑問形容詞 (Quel, Quelle, Quels, Quelles) を記入しましょう。

1) (　　　　　　　) heure est-il ?　— Il est dix heures.　*heure (*f.*)
　何時ですか？　— 10 時です。

2) (　　　　　　　) âge as-tu ?　— J'ai dix-neuf ans.　*âge (*m.*)
　きみは何才なの？　— 19 才だよ。

3) (　　　　　　　) fleurs aimez-vous ?　— J'aime les roses.　*fleur (*f.*)
　あなたはどんな花がすきですか？　— バラが好きです。

4) (　　　　　　　) est cette chanson ?　— C'est *La Bohème* de Charles Aznavour.
　この歌は何ですか？　— シャルル・アズナブールのラ ボエームです。

5) (　　　　　　　) sont ces livres ?　— Ce sont des romans français.　*livre (*m.*)
　これらの本は何ですか？　— フランスの小説です。

❸ （　）に適切な疑問副詞（Comment, D'où, Où, Pourquoi, Quand）を記入しましょう。

1) （　　　　　　　） pleures-tu ? — Parce que je suis triste.

　なぜきみは泣いているの？ — 悲しいからよ。

2) （　　　　　　　） parle-t-il à ses élèves ? — Il parle lentement à ses élèves.

　彼は生徒たちにどのように話しますか？ — 彼は生徒たちにゆっくり話します。

3) （　　　　　　　） arrive-t-elle ? — Elle arrive demain soir.

　彼女はいつ到着しますか？ — 彼女は明日の夜到着します。

4) （　　　　　　　） allez-vous ? — Je vais au musée du Louvre.

　あなたはどこに行きますか？ — 私はルーヴル美術館に行きます。

5) （　　　　　　　） venez-vous ? — Je viens de Tokyo.

　あなたはどこから来ましたか？ — 東京からです。

❹ 日本語に合わせて語群から適切な語句を選び、空欄に記入しましょう。［数量表現］

語群：beaucoup de, assez de, trop de, un peu de, un kilo de, combien de

1) Il y a .... personnes dans la salle ? ホールには何人いますか？

　— Il y a cent cinquante personnes. — 150 人います。

2) Vous mettez du sel dans la soupe ? スープに塩を入れますか？

　— Oui, je mets .... sel dans la soupe. — はい、塩を少し入れます。

3) Tu manges des fruits ? きみは果物を食べるの？

　— Oui, je mange .... fruits. — うん、たくさんの果物を食べるよ。

4) Tu achètes .... choses. きみはものを買いすぎるよ。

　— Mais non, j'achète des choses nécessaires.

　— そんなことないよ、必要なものを買っているんだ。

5) Il y a du pain pour tout le monde ? 全員のためのパンがありますか？

　— Oui, il y a .... pain pour tout le monde.

　— はい、全員のために十分なパンがあります。

❺ フランス語を聞き、語群から適語を選んで（　）に記入しましょう。♪
10

語群：beaucoup, quand, quel, quelle, que

1) Qu'est-ce （　　　　　　　） tu cherches ?

2) （　　　　　　　） est cette fleur ?

3) （　　　　　　　） âge avez-vous ?

4) （　　　　　　　） arrive-t-elle ?

5) Nous mangeons （　　　　　　　） de fruits.

8

9

解説・音声・追加問題・コラム

強勢形人称代名詞、比較級、最上級、感嘆文

❶ （　）に適切な強勢形人称代名詞 (moi, toi, lui, elle, nous, vous, eux, elles) を記入しましょう。

1) (　　　　　　　), il est médecin.
　　彼は医者です。

2) Je mange avec (　　　　　　　).
　　私は彼らと一緒に食事をする。

3) C'est un cadeau pour (　　　　　　　).
　　これはきみへのプレゼントだ。

4) L'État, c'est (　　　　　　　).
　　朕は国家なり（国家とは私のことだ）。（ルイ14世の言葉だとされている）

5) Cette montre est à (　　　　　　　).
　　この腕時計は彼女のものだ。

❷ 日本語に合わせて語群から適切な語句を選び、（　）に記入して、比較級の文を完成させましょう。複数回使用する語句もあります。

語群 : aussi, meilleur(e), mieux, moins, plus, que

1) Cette maison est (　　　　　　) grande (　　　　　　) ta maison.
　　この家はきみの家より大きい。　*grand(e) 大きい

2) L'or est (　　　　　　) cher (　　　　　　) l'argent.
　　金は銀より高価だ。　*cher(chère) 高価だ

3) Le mois de février est (　　　　　　) long (　　　　　　) les autres mois.
　　2月は他の月より短い。　*long(ue) 長い

4) Ton idée est (　　　　　　) (　　　　　　) son idée.　*idée (f.)
　　きみのアイデアは彼（女）のアイデアより優れている。

5) Ses lunettes sont (　　　　　　) légères (　　　　　　) mes lunettes.
　　彼（女）の眼鏡は私の眼鏡より重い。　*léger(légère) 軽い

6) Elle est (　　　　　　) grosse (　　　　　　) son mari.
　　彼女は彼女の夫と同じくらい太っている。　*gros(se) 太っている

7) Tu danses (　　　　　　) (　　　　　　) moi.
　　きみは私よりダンスが上手だ。

8) Elle parle (　　　　　　) lentement (　　　　　　) lui.
　　彼女は彼よりゆっくり話す。　*lentement ゆっくり

22

9) Il rentre (　　　　　) tard (　　　　　　　　) d'habitude.

　　彼は普段より遅く帰宅する。　*tard 遅く

10) Ils courent (　　　) vite (　　　) toi.

　　彼らはきみと同じくらい速く走る。　*vite 速く

❸ 日本語に合わせて語群から適切な語句を選び、(　) に記入して、最上級の文を完成させましょう。複数回使用する語句もあります。

語群：le, la, les, de, meilleur(e), plus, moins, sa

1) Marie est (　　　　　) (　　　　　　　) grande (　　　　　　) la classe.

　　マリーはクラスで一番大きい。

2) La Loire est (　　　　　) (　　　　　　) long fleuve (　　　　　) France.

　　ロワール河はフランスで一番長い大河だ。　*fleuve (m.)

3) Au Japon, le nouvel an est la fête (　　　　　) (　　　　　) importante

　　(　　　　　　) l'année.

　　日本では、正月(新年)が最も重要な祝祭日だ。

4) Il est dans (　　　　　) (　　　　　　) condition.　*condition (f.)

　　彼は最高の体調だ。

5) Elle court (　　　　　) (　　　　　) vite (　　　　　) l'équipe.

　　彼女はチームで最も速く走る。

❹ 語群から適語を選んで (　) に記入し、感嘆文を完成させましょう。

語群：Quel, Quelle, Quels, Quelles, Comme

参考：quel(le)(s) + 名詞グループ；comme + 文

1) (　　　　　) chaleur !　なんという暑さか !　*chaleur (f.)

2) (　　　　　) belles fleurs !　なんと美しい花々だろう !

3) (　　　　　) c'est joli !　なんてきれいなんだろう !

4) (　　　　　) question difficile !　なんと難しい質問だろう !　*question (f.)

5) (　　　　　) ce paysage est beau !　この景色は何と美しいんだろう !

❺ フランス語を聞き、語群から適語を選んで (　) に記入しましょう。選択肢があれば、適語に〇を付けましょう。♪

語群：mieux, moi, moins, plus, toi

1) Cette montre est à (　　　　　　).

2) Vous dansez (　　　　　) que (　　　　　).

3) Il est (　　　　　) gros que sa femme.

4) Paul est (le, la, les) (　　　　　) grand de la classe.

5) (Quel, Quelle) beau pays !

音声

会話表現

* **1**〜**7** すべてに音声がついています。

1 あいさつ ♪
₁₂

Bonjour, madame.　— Bonjour monsieur.

　（女性に対して）こんにちは。　—（男性に対して）こんにちは。

Au revoir, madame.　— Au revoir monsieur.

　（女性に対して）さようなら。　—（男性に対して）さようなら。

Comment allez-vous ?　— Je vais bien, merci. Et vous ?

— Moi aussi, je vais bien, merci.

　　お元気ですか？　— はい、元気です。有り難うございます。で、あなたは？

　　— 私も元気です。有り難うございます。

Salut, ça va ?　— Ça va bien, et toi ?　やあ、元気？　— 元気だよ、で、きみは？

— Ça va.　— 元気だよ。

Vous allez bien ?　お元気ですか？　/　Il va bien ?　彼は元気ですか？

2 〜に乗って ♪
₁₃

Comment venez-vous à l'université ?　大学へはどうやって来ますか？

— Je viens en train (en métro, en voiture, en bus, à vélo, à pied).

　　私は列車（地下鉄、車、バス、自転車、徒歩）で来ます。

3 道をたずねる ♪
₁₄

Pardon, madame. Pour aller à la gare Saint-Lazare, s'il vous plaît ?

　（女性に対して）すみません。サン・ラザール駅に行くには？

— Prenez la deuxième rue à droite, et allez tout droit.

　　2 つ目の道を右に曲がってから、まっすぐ行って下さい。

— Merci, madame.　（女性に対して）有り難うございました。

> la première rue 最初の道 ,
> la troisième rue 3 つ目の道 ,
> à gauche 左に

4 値段をたずねる ♪
₁₅

1) Combien coûte cette robe ?　このドレスはおいくらですか？

　　— Elle coûte 450 euros.　— 450 ユーロです。

2) Ce pantalon, c'est combien ?　このズボンはおいくらですか？

　　— C'est 110 euros.　— 110 ユーロです。

3) Je prends un kilo de pommes et un kilo d'oranges. Ça fait combien ?

　　リンゴ 1 キロとオレンジ 1 キロを買います。おいくらになりますか？

　　— Ça fait 5,10 euros.　— 5.10 ユーロです。

　　*5,10 euros (cinq euros dix と読む)、小数点は "," (コンマ) で表わす。

⑤ 曜日・日付をたずねる ♪16

Quel jour sommes-nous ?　— Nous sommes lundi.　何曜日ですか？　—月曜日です。

lundi, mardi, mercredi, jeudi, vendredi, samedi, dimanche （月曜日〜日曜日）

Le combien sommes-nous ?　何日ですか？

— Nous sommes le dix décembre.　—12 月 10 日です。

— Nous sommes le premier janvier.　—1 月 1 日です。　*1日 le premier

janvier, février, mars, avril, mai, juin （1 月〜 6 月）

juillet, août, septembre, octobre, novembre, décembre （7 月〜 12 月）

en janvier 1 月に、en février 2 月に

⑥ 春・夏・秋・冬 ♪17

le printemps, l'été, l'automne, l'hiver

au printemps, en été, en automne, en hiver　（春に・夏に・秋に・冬に）

⑦ 代名動詞を使った会話 ♪18

1) s'appeler （〜という名前だ）

Tu t'appelles comment ? / Vous vous appelez comment ?

— Je m'appelle Julien.

きみの（あなたの）名前は？　— 私の名前はジュリアンです。

2) se lever （起きる）

Tu te lèves à quelle heure ? / Vous vous levez à quelle heure ?

— Je me lève à six heures.

きみ（あなた）は何時に起きますか？　— 6 時に起きます。

3) se coucher （寝る）

Tu te couches à quelle heure ? / Vous vous couchez à quelle heure ?

— Je me couche à dix heures.

きみ（あなた）は何時に寝ますか？　— 10 時に寝ます。

4) se promener

Tu te promènes ? / Vous vous promenez ?

— Oui, je me promène.

きみ（あなた）は散歩しますか？　— はい、私は散歩します。

5) s'asseoir

Tu t'assieds ? / Vous vous asseyez ?

— Oui, je m'assieds.

きみ（あなた）は座りますか？　— はい、私は座ります。

10 補語人称代名詞、中性代名詞 (y, en, le)

1 （　）に適切な直接目的語人称代名詞 (me, m', te, t', nous, vous, le, la, l', les) を記入しましょう。

1) Il achète ces vêtements ?　彼はこれらの衣服を買いますか？

　　— Oui, il (　　　　　　　) achète.　— はい、彼はそれらを買います。

2) L'avocat vous reçoit ?　弁護士はあなた方に会ってくれますか？

　　— Oui, il (　　　　　　　) reçoit.　— はい、私たちに会ってくれます。

3) Où est-ce que tu mets la table ?　テーブルはどこに置くの？

　　— Je (　　　　　　　) mets dans le salon.　— リビングルームに置くよ。

4) Vous écoutez ces CD ?　あなたはこれらの CD を聞きますか？

　　— Non, je ne (　　　　　　　) écoute plus.　— いいえ、私はもうそれらを聞きません。

5) Tu prends le bus pour aller à l'aéroport ?　きみは空港に行くのにバスに乗るの？

　　— Non, je ne (　　　　　　　) prends pas. Je prends le train pour aller à l'aéroport.
　　— いや、それには乗らない。空港に行くには列車に乗るよ。

6) Comment trouves-tu cette robe ?　このドレスをどう思う？

　　— Je (　　　　　　　) trouve très jolie.　— とても綺麗だと思うよ。

7) Tu m'attends dans un café ?　カフェで私を待ってくれる？

　　— Non, je (　　　　　　　) attends à la gare.　— いや、駅で待つよ。

8) Ils vont voir leur patron ?　彼らは上司に会うつもりですか？

　　— Oui, ils vont (　　　　　　　) voir demain.　— はい、彼らは明日彼に会うつもりです。

9) Elle connaît cette nouvelle ?　彼女はそのニュースを知っていますか？

　　— Oui, elle vient de (　　　　　　　) apprendre.　— はい、彼女はそれを知ったばかりです。

2 （　）に適切な間接目的語人称代名詞 (me, m', te, t', nous, vous, lui, leur) を記入しましょう。

1) Il écrit à ses parents ?　彼は両親に手紙を書きますか？

　　— Oui, il (　　　　　　　) écrit souvent.　— はい、彼らにしばしば書きます。

2) Cette voiture vous plaît ?　この車はあなたたちの気に入っていますか？

　　— Oui, elle (　　　　　　　) plaît beaucoup.　— はい、私たちに、とても気に入っています。

3) Tu leur téléphones ?　きみは彼らに電話をするの？

　　— Non, je ne (　　　　　　　) téléphone pas.　— いや、彼らには電話をしないよ。

4) Qu'est-ce que vous demandez à votre mari ?　あなたは夫に何を頼みますか？

　　— Je (　　　　　　　) demande de promener le chien.　— 彼に犬の散歩を頼みます。

5) Elle te dit de venir au bureau ?　彼女はきみにオフィスに来るように言うの？

　　— Oui, elle (　　　　　　　) dit de venir au bureau.
　　— そう、彼女は私にオフィスに来るように言う。

3 （　）に適切な中性代名詞 (y, en, le) を記入しましょう。

1) C'est un bon élève ?　彼は優秀な生徒ですか？

　　— Oui, je (　　　　　　) pense.　— はい、私はそう思います。

2) Elle vient de France ?　彼女はフランスから来たのですか？

　　— Oui, elle (　　　　　　) vient.　— はい、そこから来ました。

3) Elles sont méchantes ?　彼女たちは意地悪ですか？

　　— Non, elles ne (　　　　　　) sont pas. Elles sont très gentilles.

　　— いいえ、そんなことありません。とても優しいです。

4) Il croit au progrès ?　彼は進歩を信じているのですか？

　　— Oui, il (　　　　　　) croit.　— はい、彼はそれを信じています。

5) Il mange de la viande ?　彼は肉を食べますか？

　　— Oui, il (　　　　　　) mange.　— はい、それを食べます。

6) Tu mets du sucre dans le café ?　きみはコーヒーに砂糖を入れるの？

　　— Non, je n'(　　　　　　) mets pas dans le café.

　　— いや、コーヒーにはそれを入れないんだ。

7) Tu travailles chez L'Oréal ?　きみはロレアルに勤めているの？

　　— Oui, j'(　　　　　　) travaille depuis trois ans.　— そうよ、3年前から。

8) Vous allez à la bibliothèque ?　あなた方は図書館に行きますか？

　　— Oui, nous (　　　　　　) allons souvent.　— はい、しょっちゅう行きます。

9) Vous avez combien d'enfants ?　あなた方のお子さんは何人ですか？

　　— Nous (　　　　　　) avons trois.　— 3人います。

10) Vous êtes content de ce résultat ?　あなたはその結果に満足ですか？

　　— Oui, j'(　　　　　　) suis content.　— はい、満足です。

4 フランス語を聞き、語群から適語を選んで（　）に記入しましょう。
2度使う語があります。♪
19

　　語群 : en, les, leur, plus, y

1) Ces chansons, je ne (　　　　　　) écoute (　　　　　　).

2) Elle écrit à ses parents ?　— Oui, elle (　　　　　　) écrit.

3) Elle vient de la cafétéria ?　— Oui, elle (　　　　　　) vient.

4) Allez à l'hôpital, allez-(　　　　　　).

5) Il mange de la viande ?　— Oui, il (　　　　　　) mange.

*cafétéria カフェテリア

代名動詞

1 je の例にならって、動詞のそれぞれの主語に対応した活用形を、肯定形と否定形で記入しましょう。[-er 動詞]

	肯定形	否定形
例) se coucher (寝る、横になる)	je me couche	je ne me couche pas
se préparer (準備する)	tu	tu ....
se regarder (自分の姿を見る)	il	il ....
se lever (起きる)	nous	nous ....
se quitter ((互いに)別れる)	vous	vous ....
se trouver ((〜の状態で)ある)	ils	ils ....

再帰代名詞 (主語と同じものを表す目的語人称代名詞 me, te, se ...) をともなう動詞を代名動詞という。

2 se comprendre (分かる、理解できる) と、se souvenir (de ... を覚えている) の活用形を記入しましょう。

se comprendre	se souvenir
je	je ....
tu	tu ....
il	il ....
nous	nous ....
vous	vous ....
ils	ils ....

3 s'asseoir (座る) の活用形を je に続けて記入しましょう。

例) je m'assieds

tu ....

il ....

nous ....

vous ....

ils ....

④ 空欄に（ ）の中の代名動詞の適切な活用形を記入しましょう。

1) Je .... à devenir professeur de français. (se préparer)
   私はフランス語の教師になる準備をしている。

2) Elle .... dans le miroir. (se regarder)
   彼女は自分の姿を鏡に映して見ている。

3) Cette leçon .... bien. (se comprendre)
   その授業はよく分かります。

4) Ils ne .... plus depuis deux semaines. (se quitter)
   彼らは2週間前からもう離れようとはしない。

5) Nous .... sur les chaises. (s'asseoir)
   私たちは椅子に座る。

⑤ 空欄を埋めて応答文を完成させましょう。

1) Tu te lèves à quelle heure ? きみは何時に起きるの？
   — Je .... à sept heures. — 7時に起きるよ。

2) Vous vous couchez à quelle heure ? あなたは何時に寝ますか？
   — Je .... à onze heures. — 11時に寝ます。

3) Il s'appelle comment ? 彼の名前は？
   — Il .... Antoine. — アントワーヌです。

4) Tu te souviens de ce jour-là ? きみはあの日のことを覚えている？
   — Non, je ne .... pas de ce jour-là.
   — いや、あの日のことは覚えていないよ。

5) Ils se lavent les mains ? 彼らは手を洗いますか？
   — Non, ils ne .... pas les mains. — いいえ、彼らは手を洗いません。

⑥ フランス語を聞いて、（ ）に Je, Tu, Il, Elle, Vous のどれかを記入し、また、選択肢の適語に○を付けましょう。♪

20

1) (   ) (me, se, te, vous) levez à quelle heure ?
2) (   ) (m', s', t', vous) appelles comment ?
3) (   ) (me, se, te, vous) couche à onze heures.
4) (   ) (me, se, te, vous) lave les mains.
5) (   ) (me, se, te, vous) regarde dans le miroir.

11

チャレンジ問題3

1 空欄に直接目的語人称代名詞、間接目的語人称代名詞、中性代名詞 en の中から2つを組み合わせて記入し、応答文を完成させましょう。

1) Tu rends la voiture à ton frère ?　お兄さんに車を返すの？

　　— Oui, je .... rends.　— うん、それを彼に返すよ。

2) Vous me montrez vos photos ?　あなたの写真を私に見せてくれますか？

　　— Oui, je .... montre.　— はい、あなたにそれらを見せます。

3) Elle vous envoie ses livres ?　彼女はあなたたちに彼女の本を送りますか？

　　— Non, elle ne .... envoie pas.
　　— いいえ、彼女は私たちにそれらを送りません。

4) Il offre des fleurs à sa mère ?　彼は母親に花を贈りますか？

　　— Oui, il .... offre.　— はい、彼は彼女にそれを贈ります。

5) Tu donnes des gâteaux à tes enfants ?　きみは子供たちにケーキをあげるの？

　　— Non, je ne .... donne pas.　— いや、私は彼らにそれをあげないよ。

・直接目的語人称代名詞と間接目的語人称代名詞は次の場合に組み合わせて使うことができる。
1. me, te, nous, vous の一つ ＋ le, la, les の一つ：[例] Je te le donne.
2. le, la, les の一つ ＋ lui, leur の一つ：　　　[例] Je la lui donne.

・中性代名詞 en は目的語人称代名詞の後に置く：　[例] Je t'en donne.

---

2 次の命令文の下線部を適切な代名詞に変えて、文全体を書き換えましょう。

1) Ferme la porte. →　...
ドアを閉めなさい。→ それを閉めなさい。

2) Donnez-moi votre adresse. →　...　*adresse (f.)
あなたの住所を私に教えて下さい。→ それを私に教えて下さい。

3) Allez à l'hôpital. →　...
病院に行きなさい。→ そこに行きなさい。

4) Ne soyez pas méchant avec vos amis. →　... avec vos amis.
友人たちに意地悪をしないで。→ 友人たちにそんなふうにしないで。

　　*soyez は être の vous に対する命令形 , tu には sois, nous には soyons.

5) Prends des fruits au dessert. →　... au dessert.
デザートに果物を食べなさい。→ デザートにそれを食べなさい。

・肯定命令文の目的語人称代名詞や中性代名詞は動詞の後に置き、ハイフン (–) を間に入れる。

・二つの目的語人称代名詞を組み合わせるときの語順：

$$\boxed{動詞} + \boxed{le, la, les\ の一つ} + \boxed{moi, nous, lui, leur\ の一つ}$$

* me はハイフン (–) の後では moi となる。　例：Montrez-les-moi. それらを私に見せなさい。

3 se lever と s'asseoir の tu, nous, vous に対応した現在形の活用を記入し、次に、tu, nous, vous に対する命令形を、それぞれ空欄に記入しましょう。

se lever（起きる）の現在形

tu ....

nous ....

vous ....

se lever（起きる）の命令形

tu に対して：..

nous に対して：..

vous に対して：..

s'asseoir（座る）の現在形

tu ....

nous ....

vous ....

s'asseoir（座る）の命令形

tu に対して：..

nous に対して：..

vous に対して：..

代名動詞の命令形でも tu の活用語尾が -es, -as なら s を取る。

4 次の文を命令形の文に書き換えましょう。

1) Vous vous asseyez sur la chaise.

→ .... 椅子に座りなさい。

2) Nous nous levons à six heures.

→ .... 6 時に起きましょう。

3) Tu te réveilles plus tôt le matin.

→ .... 朝はもっと早く起きない。

4) Vous vous lavez le visage.

→ .... 顔を洗いなさい。

5) Tu ne te promènes pas la nuit.

→ .... 夜には散歩しないで。

12 直説法複合過去形 1（avoir + 過去分詞）

1 次の動詞の過去分詞を空欄に記入しましょう。

1) acheter（買う）　　　→ ....

2) travailler（働く）　　→ ....

3) jouer（遊ぶ）　　　　→ ....

2 je の例にならって donner（与える）の複合過去形の肯定形と否定形を空欄に記入しましょう。

肯定形	否定形
例）j'ai donné	例）je n'ai pas donné
tu	tu ....
il	il ....
nous	nous ....
vous	vous ....
ils	ils ....

3 日本語に合わせて、（　）の中の動詞の複合過去形を空欄に記入しましょう。

1) Vous .... un bon restaurant. (trouver)
   あなたはおいしいレストランを見つけた。

2) Il .... une voiture. (acheter)　　彼は車を買った。

3) Tu .... le dîner. (préparer)　　きみは夕食を用意した。

4) J'..................................... du pain. (manger)　　私はパンを食べた。

5) Nous .... au tennis. (jouer)　　私たちはテニスをした。

4 次の文を複合過去形の文に書き換えましょう。

1) Nous visitons le musée d'Orsay. (visiter)
   → ....　　私たちはオルセー美術館を訪れた。

2) Vous donnez un ordinateur à votre fils. (donner)
   → ....　　あなたは息子にパソコンを与えた。

3) Tu achètes un billet d'avion. (acheter)
   → ....　　きみは航空券を買った。

4) Je ne ferme pas la fenêtre. (fermer)
   → ....　　私は窓を閉めなかった。

5) Ils ne déjeunent pas à la maison. (déjeuner)
   → ....　　彼らは自宅で昼食をとらなかった。

5 次の動詞の、それぞれの主語に対応した複合過去形の、肯定形と否定形を空欄に記入しましょう。（　）内は過去分詞です。

	肯定形	否定形
1) devoir (dû)	j'......................................	je ....
2) entendre (entendu)	tu	tu ....
3) faire (fait)	il	il ....
4) finir (fini)	nous	nous ....
5) mettre (mis)	vous	vous ....
6) prendre (pris)	ils	ils ....
7) vouloir (voulu)	j'......................................	je ....
8) avoir(eu)	tu	tu ....
9) être (été)	il	il ....

6 日本語に合わせて、（　）の中の動詞の複合過去形を空欄に記入しましょう。

1) Il .... le repas. (finir)　彼は食事を終えた。
2) Vous .... un bruit sec. (entendre)　あなたには乾いた音が聞こえた。
3) Je .... voyager seul. (vouloir)　私は一人で旅行はしたくなかった。
4) Nous .... de bons gâteaux. (faire)　私たちはおいしいケーキを作った。
5) Tu .... courir pour arriver à l'heure. (devoir)
　　時間どおりに着くために、きみは走らねばならなかった。
6) Ils .... de taxi. (prendre)　彼らはタクシーには乗らなかった。
7) Vous .... les verres sur la table. (mettre)
　　あなたはテーブルにグラスを並べた。

7 フランス語を聞いて、（　）に J', Tu, Il, Ils のどれかを記入し、また、選択肢の適語に〇を付けましょう。♪ 21

1) (　　　　　) (a, ai, as, ont) acheté une voiture.
2) (　　　　　) (a, ai, as, ont) entendu un bruit sec.
3) (　　　　　) n'(a, ai, as, ont) pas pris de taxi.
4) (　　　　　) (a, ai, as, ont) joué au tennis.
5) (　　　　　) n'(a, ai, as, ont) pas visité le musée d'Orsay.

解説・音声・追加問題・コラム

直説法複合過去形 2（être ＋ 過去分詞）

1 je の例にならって aller の複合過去形の肯定形と否定形を空欄に記入しましょう。ただし、ここでは je, tu, nous は女性、vous は男性複数とします。

肯定形	否定形
例) je suis allée	例) je ne suis pas allée
tu	tu ....
il	il ....
elle	elle ....
nous	nous ....
vous	vous ....
ils	ils ....
elles	elles ....

> 「être ＋ 過去分詞」で複合過去形をつくるのは、場所の移動や状態の変化を表す自動詞のいくつか。この場合、過去分詞は主語と性数一致する。

2 次の動詞の、それぞれの主語に対応した複合過去形の、肯定形と否定形を空欄に記入しましょう。ただし、ここでは je, tu, nous は男性、vous は女性複数とします。（　）内は過去分詞の男性単数形です。

	肯定形	否定形
1) venir (venu)	je	je ....
2) arriver (arrivé)	tu	tu ....
3) partir (parti)	il	il ....
4) entrer (entré)	elle	elle ....
5) descendre (descendu)	nous	nous ....
6) devenir (devenu)	vous	vous ....
7) naître (né)	ils	ils ....
8) mourir (mort)	elles	elles ....

3 日本語に合わせて、（　）の中の動詞の複合過去形を空欄に記入しましょう。

1) Le train .... à la gare du Nord. (arriver)
   列車は北駅に到着した。

2) Elles .... chez elles. (rester)
   彼女たちはずっと自宅にいた。

3) Vous .... à neuf heures. (rentrer)
   あなた(男性)たちは 9 時に帰宅した。

4) Tu .... dans l'escalier. (tomber)
   きみ(女性)は階段で転んだ。

5) Elle .... dans une boutique. (entrer)
   彼女は店に入った。

4 日本語に合わせて、（　）の中の動詞の複合過去形を空欄に記入しましょう。

1）Ils .... en vacances. (partir)
彼らはヴァカンスに出発した。

2）Elles .... chez moi dimanche. (venir)
彼女たちは日曜日に私の家に来た。

3）Il .... du métro à la station Opéra. (descendre)
彼はオペラ駅で地下鉄を降りた。

4）Elle .... en 1985. (naître)
彼女は 1985 年に生まれた。

5）Gustave Courbet .... en 1877. (mourir)
ギュスターヴ・クールベは 1877 年に亡くなった。

5 次の文を複合過去形の文に書き換えましょう。

1）Ils arrivent à Paris.
→ .... 彼らはパリに着いた。

2）Elle ne devient pas artiste.
→ .... 彼女は芸術家にはならなかった。

3）Il sort de l'hôpital.
→ .... 彼は退院した。

4）Tu ne restes pas chez toi.
→ .... きみ（男性）は家にずっとはいなかった。

5）Je rentre tard.
→ .... 私は（女性）遅く帰宅した。

6 フランス語を聞いて、（　）に Il, Ils, Elle, Elles のどれかを記入し、また、選択肢の適語に
〇を付けましょう。♪
22

1）（　　　　）est (resté, restée, restés, restées) chez elle.

2）（　　　　）est (entré, entrée, entrés, entrées) dans une boutique.

3）（　　　　）n'est pas (devenu, devenue, devenus, devenues) artiste.

4）（　　　　）sont (venu, venue, venus, venues) de Paris.

5）（　　　　）sont (sorti, sortie, sortis, sorties) de l'hôpital.

13

14

解説・音声・追加問題・コラム

直説法複合過去形 3（代名動詞, être ＋ 過去分詞）

1 je の例にならって se réveiller の複合過去形の肯定形と否定形を空欄に記入しましょう。この動詞の再帰代名詞は直接目的語です。

肯定形

例) je me suis réveillé(e)

tu ....

il ....

elle ....

nous ....

vous ....

ils ....

elles ....

否定形

例) je ne me suis pas réveillé(e)

tu ....

il ....

elle ....

nous ....

vous ....

ils ....

elles ....

再帰代名詞 (me, te, se ...) が直接目的語のとき、過去分詞は再帰代名詞と性数一致する。

2 次の動詞の、それぞれの主語に対応した複合過去形の、肯定形と否定形を空欄に記入しましょう。これらの動詞の過去分詞は再帰代名詞と性数一致します。（　）内は過去分詞の男性単数形です。ただし、ここでは je, tu, nous は女性、vous は男性複数とします。

	肯定形	否定形
1) se coucher	je	je ....
2) se dépêcher	tu	tu ....
3) se reposer	il	il ....
4) se lever	nous	nous ....
5) s'asseoir (assis)	vous	vous ....
6) se souvenir (souvenu)	ils	ils ....

3 語群の語句を組み合わせて空欄に記入し、複合過去形の文を完成させましょう。

語群：assise, couché, lavé, promené, réveillées, me suis, se sont, s'est, t'es

1) Il .... dans le jardin.　彼は庭園を散歩した。

2) Elles .... à sept heures.　彼女たちは 7 時に目を覚ました。

3) Tu .... à dix heures.　きみ(男性)は 10 時に寝た。

4) Je .... à côté de lui.　私(女性)は彼の隣に座った。

5) Elle .... le visage.　彼女は顔を洗った。

le visage が直接目的語だから、se は間接目的語となり、この過去分詞は性数一致しない。

36

4 （　）の中の動詞の複合過去形を空欄に記入しましょう。

1）Elle .... sur une chaise. (s'asseoir)　彼女は椅子に座った。

2）Il .... de cet accident. (se souvenir)

その事故のことを彼は思い出さなかった。

3）Je .... à la main gauche. (se couper)

私（男性）は左手に切り傷を負った。

4）Tu .... avec un médecin. (se marier)　きみ（女性）は医者と結婚した。

5）Il .... de rentrer. (se dépêcher)　彼は急いで帰宅した。

5 空欄に適切な語句を記入して、応答文を完成させましょう。

1）Tu t'es lavé les cheveux ?

きみ（女性）は髪を洗ったの？　（❸の 5 と同様に過去分詞は性数一致しない。）

— Oui, je .... les cheveux.　そう、私（女性）は髪を洗ったのよ。

2）Tu t'es couchée tard ?　きみ（女性）は遅く寝たの？

— Non, je .... tard.　いや、私（女性）は遅く寝たのではありません。

3）Vous vous êtes levé tôt ?　あなた（男性）は早く起きましたか？

— Non, je .... tôt.　いいえ、私（男性）は早く起きませんでした。

4）Vous vous êtes dépêchés de partir ?　あなた（男性）たちは大急ぎで出発しましたか？

— Oui, nous .... de partir.

はい、私（男性）たちは大急ぎで出発しました。

5）Tu t'es bien reposé ?　きみ（男性）はきちんと休息をとった？

— Oui, je ....　うん、ちゃんと休んだよ。

> bien などの副詞は過去分詞の前に置く。

6 フランス語を聞いて、（　）に Je, Tu, Elle, Vous, Elles のどれかを記入し、また、選択
肢の適語に〇を付けましょう。♪
23

1）（　　　　　）t'(es, est, êtes, sont, suis) promené dans le jardin.

2）（　　　　　）s'(es, est, êtes, sont, suis) assise à côté de lui.

3）（　　　　　）ne me (es, est, êtes, sont, suis) pas souvenu de cet accident.

4）（　　　　　）vous (es, est, êtes, sont, suis) couché à dix heures.

5）（　　　　　）se (es, est, êtes, sont, suis) habillées en jeune.

14

チャレンジ問題 4

1 例を参考に次の疑問文を倒置疑問文に変え、肯定と否定で答えましょう。次に、応答文を、適切な補語人称代名詞を使って書き換えましょう。

> 例) Elle a fini le travail ? → A-t-elle fini le travail ?
> — Oui, elle a fini le travail. / — Non, elle n'a pas fini le travail.
> — Oui, elle l'a fini. / — Non, elle ne l'a pas fini.

1) Tu as lu son dernier roman ? → .... son dernier roman ?
   きみは彼の最新の小説を読んだ？

   — Oui, j'.. son dernier roman.

   — Non, je .... son dernier roman.

   — Oui, je .... / — Non, je ....
   うん、それを読んだよ。/ いや、それは読んでいない。

2) Elle a téléphoné à sa fille ? → .... à sa fille ?
   彼女は娘さんに電話をしましたか？

   — Oui, elle .... à sa fille. / — Non, elle .... à sa fille.

   — Oui, elle .... / — Non, elle ....
   はい、彼女に電話をしました。/ いいえ、彼女に電話をしませんでした。

3) Vous avez reçu le premier prix ? → .... le premier prix ?
   あなたは一等賞を取ったのですか？

   — Oui, j'.. le premier prix.

   — Non, je .... le premier prix.

   — Oui, je .... / — Non, je ....
   はい、私はそれを取りました。/ いいえ、私はそれを取りませんでした。

2 例を参考に次の疑問文を倒置疑問文に変え、肯定と否定で答えましょう。次に、応答文を中性代名詞 y または en を使って書き換えましょう。

> 例) Elle est arrivée à Avignon ? → Est-elle arrivée à Avignon ?
> — Oui, elle est arrivée à Avignon. / Non, elle n'est pas arrivée à Avignon.
> — Oui, elle y est arrivée. / Non, elle n'y est pas arrivée.

1) Elle est allée à Paris ? → .... à Paris ?
   彼女はパリに行きましたか？

   — Oui, elle .... à Paris. / — Non, elle .... à Paris.

   — Oui, elle .... / — Non, elle ....
   はい、そこに行きました。/ いいえ、そこには行きませんでした。

2) Tu es revenu de Dijon ? → .... de Dijon ?
   きみはディジョンから戻ってきたの？

— Oui, je .... de Dijon. / — Non, je .... de Dijon.

— Oui, j' .... / — Non, je ....

そうだよ、そこから戻ってきたよ。 / いや、そこから戻ってきたのではないよ。

3) Il est monté sur le Mont-Blanc ? → .... sur le Mont-Blanc ?

彼はモンブランに登りましたか？

— Oui, il .... sur le Mont-Blanc.

— Non, il .... sur le Mont-Blanc.

— Oui, il .... Non, il ....

はい、そこに登りました。 / いいえ、登りませんでした。

❸ 例を参考に次の疑問文を倒置疑問文に変え、肯定と否定で答えましょう。

例) Tu t'es dépêché ? → T'es-tu dépêché ?　きみは急いだの？

1) Tu t'es souvenu de cet été ? → .... de cet été ?

きみはその夏のことを思い出したの？

— Oui, ... de cet été.

— Non, ... de cet été.

2) Il s'est reposé chez lui ? → .... chez lui ?

彼は自宅で休息したのですか？

— Oui, ... chez lui.

— Non, ... chez lui.

3) Vous vous êtes coupé les cheveux tout seul ?

→ .... les cheveux tout seul ?　あなたは自分で髪を切ったのですか？

— Oui, ... les cheveux tout seul.

— Non, ... les cheveux tout seul.

❹ 語句を並べ替えて空欄に記入し、文を完成させましょう。

1) du violon, a, joué　だれがバイオリンを弾きましたか？

→ Qui .... ?

2) fait, vous, hier, avez　あなたは昨日何をしましたか？

→ Qu'est-ce que .... ?

3) trouvé, avez-vous, ce concert　そのコンサートをあなたはどう思いましたか？

→ Comment .... ?

4) allée, est-elle　彼女はどこに行きましたか？

→ Où .... ?

5) rentré, es, tu　きみ（男性）はいつ帰宅したの？

→ Quand est-ce que .... ?

6) pas, n'est-elle, hier, venue　なぜ彼女は昨日来なかったのですか？

→ Pourquoi .... ?

15 直説法単純未来形

解説・音声・追加問題・コラム

❶ je の例にならって arriver, prendre, se lever の単純未来形を空欄に記入しましょう。

単純未来形の語尾 : je -rai, tu -ras, il -ra, nous -rons, vous -rez, ils -ront

例) j'arriverai

tu ....
il ....
nous ....
vous ....
ils ....

例) je prendrai

tu ....
il ....
nous ....
vous ....
ils ....

例) je me lèverai

tu ....
il ....
nous ....
vous ....
ils ....

❷ 次の動詞の、je の単純未来形を参考に、il と nous に対応した単純未来形を空欄に記入しましょう。

1) avoir　　j'aurai　　il ....　　nous ....
2) être　　je serai　　il ....　　nous ....
3) aller　　j'irai　　il ....　　nous ....
4) venir　　je viendrai　　il ....　　nous ....
5) pouvoir　　je pourrai　　il ....　　nous ....
6) vouloir　　je voudrai　　il ....　　nous ....
7) faire　　je ferai　　il ....　　nous ....
8) savoir　　je saurai　　il ....　　nous ....
9) voir　　je verrai　　il ....　　nous ....
10) devoir　　je devrai　　il ....　　nous ....
11) finir　　je finirai　　il ....　　nous ....

❸ （　）の中の動詞の単純未来形を空欄に記入しましょう。

1) Le train .... dans cinq minutes. (arriver)
   列車は 5 分後に到着するでしょう。

2) Mon fils .... vingt ans dans six mois. (avoir)
   私の息子は半年後に 20 才になります。

3) Elle ne .... pas chez nous dimanche prochain. (venir)
   彼女は今度の日曜日には私たちの家に来ないでしょう。

4) Tu .... à six heures demain matin. (se lever)
   明日の朝は 6 時に起きなさいね。

5) Vous .... des légumes pour la santé. (prendre)
   健康のためにあなたは野菜を食べて下さい。

4 次の文を単純未来形の文に書き換えましょう。

1) Je suis content de cette ville.

   → Je (　　　　　　) content de cette ville. 私はその町に満足するでしょう。

2) Nous voyons notre fils le mois prochain.

   → Nous (　　　　　　) notre fils le mois prochain. 私たちは来月息子に会うでしょう。

3) Vous devez choisir votre chemin.

   → Vous (　　　　　　) choisir votre chemin.

   あなたは、たどるべき道を選ばなければならないでしょう。

4) Il finit son voyage à Genève.

   → Il (　　　　　　) son voyage à Genève. 彼はジュネーブで旅を締めくくるでしょう。

5) Ils rentrent de vacances dans une semaine.

   → Ils (　　　　　) de vacances dans une semaine.

   彼らは1週間後にヴァカンスから戻るでしょう。

5 （　）に適語を入れて文を完成させましょう。

1) Maintenant, tu ne sais pas nager, mais un jour, tu (　　　　　) nager.
   今きみは泳げないが、いつか泳げるだろう。

2) Maintenant, nous n'avons pas d'enfant, mais un jour, nous (　　　　　) peut-être
   des enfants.
   今は私たちには子供がいないが、いつか、私たちにも子供ができるかも知れない。

3) Maintenant, il ne va pas au théâtre, mais un jour, il (　　　　　) souvent au
   théâtre.
   今彼は芝居を見に行かないが、いつか彼は頻繁に行くようになるだろう。

4) Ce soir, elles ne peuvent pas sortir, mais samedi prochain, elles (　　　　　)
   sortir.
   今夜は彼女たちは外出できないが、土曜日の夜は、外出できるだろう。

5) Il fait mauvais aujourd'hui, mais demain, il (　　　　　) beau.
   今日は天気が悪いが、明日はいい天気でしょう。

15

6 フランス語を聞いて、（　）に Je, Tu, Il, Elle, Ils のどれかを記入し、また、選択肢の適語
に○を付けましょう。♪

1) (　　　　　) (aurai, auras, aura) vingt ans dans trois mois.

2) (　　　　　) ne (viendrons, viendront) pas chez nous.

3) (　　　　　) me (lèverai, lèveras, lèvera) à six heures.

4) (　　　　　) (serai, seras, sera) content de cette ville.

5) (　　　　　) (ferai, feras, fera) beau demain.

解説・音声・追加問題・コラム

直説法半過去形

1 je の例にならって avoir, être, parler の半過去形を空欄に記入しましょう。

> 半過去形の語尾 : je -ais, tu -ais, il -ait, nous -ions, vous -iez, ils -aient

例) j'avais

tu ....

il ....

nous ....

vous ....

ils ....

例) j'étais

tu ....

il ....

nous ....

vous ....

ils ....

例) je parlais

tu ....

il ....

nous ....

vous ....

ils ....

2 次の動詞の je の半過去形を参考に、il と nous に対応した半過去形を空欄に記入しましょう。

1) attendre   j'attendais   il ....   nous ....

2) faire   je faisais   il ....   nous ....

3) lire   je lisais   il ....   nous ....

4) prendre   je prenais   il ....   nous ....

5) voir   je voyais   il ....   nous ....

6) vouloir   je voulais   il ....   nous ....

3 （　）の中の動詞の半過去形を空欄に記入しましょう。

1) D'habitude, il (parler → ....) espagnol à la maison.
普段、彼は家ではスペイン語を話していた。

2) Je (regarder → ....) alors la télévision.
その時私はテレビを見ていた。

3) Elle ne (lire → ....) pas de livres, quand elle (être → ....) petite.
彼女は小さい頃は、本を読んではいなかった。

4) D'habitude, elles (venir → ....) me voir le samedi.
普段、彼女たちは土曜日に私に会いに来ていた。

5) Nous (être → ....) en janvier. Il (faire → ....) très froid.
1月だった。とても寒かった。

❹ （ ）に適語を入れて文を完成させましょう。

1) À ce moment-là, j'(   ) le français. Maintenant, j'apprends
l'italien.

当時、私はフランス語を学んでいた。今は、イタリア語を学んでいる。

2) À ce moment-là, tu (   ) être chanteur. Maintenant, tu veux
être pâtissier.

当時、きみは歌手になりたがっていた。今、きみはケーキ職人になりたがっている。

3) Avant, nous (   ) à Paris. Maintenant, nous habitons à Rennes.

以前、私たちはパリに住んでいた。今は、レンヌに住んでいる。

4) Avant, je (   ) des films d'animation. Maintenant, je vois plutôt
des films documentaires.

以前、私はアニメ映画を見ていた。今は、むしろ、ドキュメント映画を見る。

5) Avant, il n'y (   ) pas de téléphone portable. Maintenant, il y a
des smartphones.

以前は、携帯電話はなかった。今は、スマートフォンがある。

❺ （ ）の中の動詞の半過去形か複合過去形を空欄に記入して文を完成させましょう。

1) Chaque année, ils (partir → ....) en vacances en juillet. Cette année,
ils (partir → ....) en août.

毎年彼らは７月にヴァカンスに出かけていた。今年は、８月に出かけた。

2) D'habitude, elle (prendre → ....) le métro. Ce jour-là, elle (prendre →
...........................) un taxi parce qu'il (pleuvoir → ....).

彼女はいつも地下鉄に乗っていた。その日は雨が降っていたので、タクシーに乗った。

3) Il (attendre → ....) à la sortie de l'école quand je (arriver → ....).

私が着いた時、彼は学校の出口で待っていた。

4) Vous (avoir → ....) vingt-trois ans quand vous (écrire → ....)
votre premier roman.

あなたが最初の小説を書いた時、あなたは23才だった。

5) C'(être → ....) en 1998. Le Japon (jouer → ....) la Coupe du
Monde de football pour la première fois.

それは1998年のことだった。日本がサッカーのワールドカップに初出場したのだ。

❻ フランス語を聞いて、（ ）に je, il, nous, vous のどれかを記入し、また、選択肢の適語
に〇を付けましょう。文の先頭の文字は大文字にしましょう。♪
25

🔊))

1) (   ) (regardais, regardait) alors la télévision.

2) (   ) (étions, étiez) en janvier.

3) (   ) (voulais, voulait) être chanteuse.

4) Avant, (   ) n'y (avais, avait) pas d'ordinateur.

5) Chaque année, (   ) (partez, partiez) en vacances en juillet.

解 答

1

1-1 : 1. un / 2. une / 3. un / 4. des /
5. une

1-2 : 1. du / 2. de la / 3. de l' / 4. du /
5. du

1-3 : 1. la / 2. l' / 3. l' / 4. les / 5. le

1-4 : 1. montres / 2. livres /
3. voitures / 4. oiseaux /
5. bateaux / 6. animaux /
7. hôpitaux / 8. pays /
9. prix / 10. nez.

1-5 : 1. un / 2. de la / 3. des / 4. des /
5. du

1-6 : 1. une / 2. du / 3. un / 4. des /
5. l', la

1. これは腕時計です。
2. ミルクがあります。
3. そこに鳥がいます。
4. これらは本です。
5. これは駅の住所です。

2

2-1 : 1. courte / 2. mauvaise / 3. verte /
4. facile / 5. longue / 6. bonne /
7. chère / 8. heureuse /
9. blanche / 10. grosse

2-2 : 1. noir / 2. bleu / 3. français /
4. sérieuse / 5. chaude /
6. ronde / 7. droite / 8. difficile /
9. rouge / 10. blanc

2-3 : 1. grande / 2. petit / 3. grosse /
4. jeune / 5. joli

2-4 : 1. beau, bel, belle / 2. nouveau,
nouvel, nouvelle / 3. vieux, vieil,
vieille

2-5 : 1. son / 2. sa / 3. ses / 4. votre /
5. ton

2-6 : 1. cet / 2. cette / 3. ces /
4. cette / 5. ce

2-7 : 1. une, noire / 2. mon / 3. chaud /
4. un, bel / 5. un, vieil

1. これは黒い車です。
2. これは私の学校です。
3. これはホットワインです。
4. これは美しい木です。
5. こちらは老人です。

チャレンジ問題 1

Ch1-1 : 1. un, le / 2. une, la / 3. Le, un /
4. L', un / 5. du, la

Ch1-2 : 1. des questions faciles / 2. des
chiens blancs / 3. des villes ja-
ponaises / 4. des oiseaux
jaunes / 5. des bras ronds

Ch1-3 : 1. de jolies couleurs /
2. de petits gâteaux /
3. de bons élèves /
4. de grands parcs /
5. de vieilles maisons

Ch1-4 : 1. nouveaux sports / 2. beaux
pays / 3. films japonais

3

3-1 :

1. je	5. nous
2. tu	6. vous
3. il	7. ils
4. elle	8. elles

3-2 :

être

je (suis)	nous (sommes)
tu (es)	vous (êtes)

il   (est)   ils   (sont)
elle (est)   elles (sont)

avoir

j'   (ai)   nous (avons)
tu   (as)   vous (avez)
il   (a)   ils   (ont)
elle (a)   elles (ont)

3-3 : 1. est / 2. as / 3. ai / 4. sont /
     5. êtes

3-4 : 1. à / 2. de / 3. dans / 4. avec /
     5. pour

3-5 : 1. au / 2. du / 3. des / 4. aux /
     5. du

3-6 :

être

例) je ne suis pas nous (ne sommes pas)
tu   (n'es pas)   vous (n'êtes pas)
il   (n'est pas)   ils   (ne sont pas)
elle (n'est pas)   elles (ne sont pas)

avoir

例) je n'ai pas   nous (n'avons pas)
tu   (n'as pas)   vous (n'avez pas)
il   (n'a pas)   ils   (n'ont pas)
elle (n'a pas)   elles (n'ont pas)

3-7 : 1. ne suis pas /
     2. ne sommes pas /
     3 n'a pas / 4. n'ai pas /
     5. n'ont pas

3-8 : 1. êtes / 2. suis / 3. est / 4. un, de
1. あなたはフランス人ですか？
2. 私はレストランの中にいます。
3. 彼女は幸せです。
4. きみはバッグを持っているの？
   — いや、私はバッグを持っていないんだ。

❹ ————————————

4-1 :
je   (parle)   nous (parlons)
tu   (parles)   vous (parlez)
il   (parle)   ils   (parlent)
elle (parle)   elles (parlent)

4-2 :
1. je (commence)   7. ils (cherchent)
2. tu (habites)   8. elles (achètent)
3. il (mange)   9. j' (appelle)
4. elle (monte)   10. nous (commençons)
5. nous (pensons) 11. nous (mangeons)
6. vous (préparez) 12. nous (appelons)

4-3 : 1. pensez / 2. cherche / 3. habite /
     4. achètes / 5. commençons

4-4 :

aller

je   (vais)   nous (allons)
tu   (vas)   vous (allez)
il   (va)   ils   (vont)
elle (va)   elles (vont)

venir

je   (viens)   nous (venons)
tu   (viens)   vous (venez)
il   (vient)   ils   (viennent)
elle (vient)   elles (viennent)

4-5 : 1. vais / 2. viens / 3. allons /
     4. venez / 5. va / 6. vient

4-6 :

partir

je   (pars)   nous (partons)
tu   (pars)   vous (partez)
il   (part)   ils   (partent)
elle (part)   elles (partent)

finir

je	(finis)	nous	(finissons)
tu	(finis)	vous	(finissez)
il	(finit)	ils	(finissent)
elle	(finit)	elles	(finissent)

4-7 : 1. partons / 2. sors / 3. choisit / 4. finis

4-8 : 1. Vous, allez / 2. Je, viens / 3. Elle, sort

1. あなたはリヨンに行く。
2. 私は日本から来た。
3. 彼女はオフィスから出る。

5 ────────────

5-1 :

pouvoir

je	(peux)	nous	(pouvons)
tu	(peux)	vous	(pouvez)
il	(peut)	ils	(peuvent)
elle	(peut)	elles	(peuvent)

vouloir

je	(veux)	nous	(voulons)
tu	(veux)	vous	(voulez)
il	(veut)	ils	(veulent)
elle	(veut)	elles	(veulent)

devoir

je	(dois)	nous	(devons)
tu	(dois)	vous	(devez)
il	(doit)	ils	(doivent)
elle	(doit)	elles	(doivent)

5-2 : 1. voulez / 2. veut / 3. peux / 4. peuvent / 5. devons

5-3 :

1. j' (apprends) nous (apprenons)
2. je (bois) nous (buvons)

3. je (connais) nous (connaissons)
4. je (fais) nous (faisons)
5. je (mets) nous (mettons)
6. je (prends) nous (prenons)

5-4 : 1. On, On / 2. quelqu'un, personne / 3. quelque chose / 4. On / 5. rien

5-5 : 1. n'habite plus / 2. ne joue plus / 3. n'allons plus / 4. ne boit jamais / 5. ne mets jamais

5-6 : 1. devant / 2. avant / 3. Après / 4. pendant / 5. Derrière

チャレンジ問題2 ────────────

Ch2-1 : 1. Êtes-vous, suis, ne suis pas
2. Est-il, est, n'est pas
3. As-tu, ai, n'ai pas
4. A-t-elle, a, n'a pas
5. Es-tu, suis, ne suis pas

Ch2-2 : 1. suis, ne suis pas / 2. est, n'est pas / 3. est, n'est pas / 4. ai, n'ai pas / 5. ai, n'ai pas

Ch2-3 : 1. n'est pas / 2. ne sont pas / 3. n'y a pas

Ch2-4 :

1. j' (attends) nous (attendons)
2. je (cours) nous (courons)
3. je (lis) nous (lisons)
4. j' (ouvre) nous (ouvrons)
5. je (sais) nous (savons)
6. je (vois) nous (voyons)

Ch2-5 : 1. lis / 2. voyez / 3. courent / 4. ouvre / 5. savent / 6. attends

6 ────────────

6-1 : 1. sept, dix / 2. onze, et demie / 3. neuf, et quart / 4. midi

6-2 : 1. beau / 2. mauvais / 3. chaud /

4. froid / 5. pleut

6-3 : 1. acheter des légumes bio / 2. de
l'argent / 3. une heure à pied /
4. un chien dans le jardin /
5. quelque chose à manger

6-4 :

<u>fermer の現在形</u>

tu　　(fermes)

nous (fermons)

vous (fermez)

<u>fermer の命令形</u>

(ferme)

(fermons)

(fermez)

<u>sortir の現在形</u>

tu　　(sors)

nous (sortons)

vous (sortez)

<u>sortir の命令形</u>

(sors)

(sortons)

(sortez)

6-5 : 1. Allez chez le médecin, s'il vous
plaît. / 2. Dis le mot de passe. /
3. Attendons un moment. /
4. Ne sors pas de la ville, s'il te
plaît. /
5. Ne fermez pas la porte.

6-6 : 1. est / 2. faut / 3. fait /
4. Fermez / 5. Attends

1. 何時ですか？

2. 医者の所に行かねばならない。

3. 暑い。

4. 窓を閉めて下さい。

5. ちょっと待って。

7　────────────

7-1 : 1. Je vais prendre un jus d'orange
aujourd'hui.
2. Nous allons déjeuner dans un
restaurant japonais.
3. Il va envoyer une lettre de
remerciement à l'hôpital.
4 Elles vont faire les courses cet
après-midi.
5. Tu vas connaître le secret de
son succès.

7-2 : 1. Je viens d'ouvrir un compte
chez BNP.
2. Son dernier roman vient de
sortir.
3. Elles viennent d'arriver à Paris.
4. Il vient de mettre fin à ses
activités politiques.
5. Vous venez de lire un livre de
cet auteur.

7-3 : 1. soif / 2. froid / 3. tort / 4. mal /
5. mal

7-4 : 1. faire / 2. sortir / 3. prendre /
4. voir / 5. avons

1. 彼女は買いものをするつもりだ。

2. 私は家を出たところだ。

3. 私たちはタクシーに乗るつもりだ。

4. 彼は映画を見たところだ。

5. 私たちは眠い。

8　────────────

8-1 : 1. Qu'est-ce qu', Il mange / 2. Qui
est-ce qu', Ils invitent / 3. Qui /
4. Qui / 5. Qu'est-ce que / 6. Qui /
7. Qui

8-2 : 1. Quelle / 2. Quel / 3. Quelles /
4. Quelle / 5. Quels

8-3 : 1. Pourquoi / 2. Comment /
3. Quand / 4. Où / 5. D'où

8-4 : 1. combien de / 2. un peu de /
　　　　3. beaucoup de / 4. trop de /
　　　　5. assez de
8-5 : 1. que / 2. Quelle / 3. Quel /
　　　　4. Quand / 5. beaucoup
1. きみは何を探しているの？
2. この花は何ですか？
3. あなたは何才ですか？
4. 彼女はいつ到着しますか？
5. 私たちはたくさんの果物を食べます。

⑨ ─────────────────────

9-1 : 1. Lui / 2. eux / 3. toi / 4. moi /
　　　　5. elle
9-2 : 1. plus, que / 2. plus, que /
　　　　3. moins, que / 4. meilleure, que /
　　　　5. moins, que / 6. aussi, que /
　　　　7. mieux, que / 8. plus, que /
　　　　9. plus, que / 10. aussi, que
9-3 : 1. la, plus, de / 2. le, plus, de /
　　　　3. la, plus, de / 4. sa, meilleure /
　　　　5. le, plus, de
9-4 : 1. Quelle / 2. Quelles / 3. Comme /
　　　　4. Quelle / 5. Comme
9-5 : 1. toi / 2. mieux, moi / 3. moins /
　　　　4. le, plus / 5. Quel
1. この腕時計はきみのものだ。
2. あなたは私よりダンスが上手だ。
3. 彼は彼の妻ほど太っていない。
4. ポールはクラスで一番大きい。
5. 何て美しい国なんだ！

⑩ ─────────────────────

10-1 : 1. les / 2. nous / 3. la / 4. les /
　　　　5. le / 6. la / 7. t' / 8. le / 9. l'
10-2 : 1. leur / 2. nous / 3. leur / 4. lui /
　　　　5. me
10-3 : 1. le / 2. en / 3. le/ 4. y / 5. en /
　　　　6. en / 7. y / 8. y / 9. en / 10. en

10-4 : 1. les, plus / 2. leur / 3. en /
　　　　4. y. / 5. en
1. これらの歌を、私はもう聞かない。
2. 彼女は彼女の両親に手紙を書きますか？
　　　— はい、彼らに書きます。
3. 彼女はカフェテリアから来るのですか？
　　　— はい、そこから来ます。
4. 病院に行きなさい、そこに行きなさい。
5. 彼は肉を食べますか？
　　　— はい、彼はそれを食べます。

⑪ ─────────────────────

11-1
肯定形
tu 　　(te prépares)
il 　　 (se regarde)
nous (nous levons)
vous (vous quittez)
ils 　　(se trouvent)

否定形
tu 　　(ne te prépares pas)
il 　　 (ne se regarde pas)
nous (ne nous levons pas)
vous (ne vous quittez pas)
ils 　　(ne se trouvent pas)

11-2 :
se comprendre
je 　　(me comprends)
tu 　　(te comprends)
il 　　 (se comprend)
nous (nous comprenons)
vous (vous comprenez)
ils 　　(se comprennent)

se souvenir
je 　　(me souviens)
tu 　　(te souviens)

il   (se souvient)

nous (nous souvenons)

vous (vous souvenez)

ils   (se souviennent)

11-3 :

例) je m'assieds

tu   (t'assieds)

il   (s'assied)

nous (nous asseyons)

vous (vous asseyez)

ils   (s'asseyent)

11-4 : 1. me prépare / 2. se regarde /
　　　3. se comprend / 4. se quittent /
　　　5. nous asseyons

11-5 : 1. me lève / 2. me couche /
　　　3. s'appelle / 4. me souviens /
　　　5. se lavent

11-6 : 1. Vous, vous / 2. Tu, t' /
　　　3. Je, me / 4. Il, se / 5. Elle, se

1. あなたは何時に起きますか？
2. きみのお名前は？
3. 私は 11 時に寝ます。
4. 彼は手を洗う。
5. 彼女は自分の姿を鏡に映して見ている。

チャレンジ問題 3

Ch3-1 : 1. la lui / 2. vous les / 3. nous
　　　　les / 4. lui en / 5. leur en

Ch3-2 : 1. Ferme-la. / 2. Donnez-la-moi. /
　　　　3. Allez-y. / 4. Ne le soyez pas
　　　　avec vos amis. / 5. Prends-en
　　　　au dessert.

Ch3-3 :

se lever の現在形

tu   (te lèves)

nous (nous levons)

vous (vous levez)

se lever の命令形

(lève-toi)

(levons-nous)

(levez-vous)

s'asseoir の現在形

tu   (t'assieds)

nous (nous asseyons)

vous (vous asseyez)

s'asseoir の命令形

(assieds-toi)

(asseyons-nous)

(asseyez-vous)

Ch3-4 : 1. Asseyez-vous sur la chaise.
　　　　2. Levons-nous à six heures.
　　　　3. Réveille-toi plus tôt le matin.
　　　　4. Lavez-vous le visage.
　　　　5. Ne te promène pas la nuit.

⓬

12-1 : 1. acheté / 2. travaillé / 3. joué

12-2 :

肯定形

例) j'ai donné

tu   (as donné)

il   (a donné)

nous (avons donné)

vous (avez donné)

ils   (ont donné)

否定形

例) je n'ai pas donné

tu   (n'as pas donné)

il   (n'a pas donné)

nous (n'avons pas donné)

vous (n'avez pas donné)

ils   (n'ont pas donné)

12-3 : 1. avez trouvé / 2. a acheté /
3. as préparé / 4. ai mangé /
5. avons joué

12-4 : 1. Nous avons visité le musée d'Orsay. / 2. Vous avez donné un ordinateur à votre fils. / 3. Tu as acheté un billet d'avion. / 4. Je n'ai pas fermé la fenêtre. / 5. Ils n'ont pas déjeuné à la maison.

12-5 :
肯定形
1. j'   (ai dû)
2. tu   (as entendu)
3. il   (a fait)
4. nous (avons fini)
5. vous (avez mis)
6. ils   (ont pris)
7. j'   (ai voulu)
8. tu   (as eu)
9. il   (a été)

否定形
1. je   (n'ai pas dû)
2. tu   (n'as pas entendu)
3. il   (n'a pas fait)
4. nous (n'avons pas fini)
5. vous (n'avez pas mis)
6. ils   (n'ont pas pris)
7. je   (n'ai pas voulu)
8. tu   (n'as pas eu)
9. il   (n'a pas été)

12-6 : 1. a fini / 2. avez entendu / 3. n'ai pas voulu / 4. avons fait / 5. as dû / 6. n'ont pas pris / 7. avez mis

12-7 : 1. J', ai / 2. Tu, as / 3. Il, a / 4. Ils, ont / 5. Il, a
1. 私は車を買った。

2. きみには乾いた音が聞こえた。
3. 彼はタクシーに乗らなかった。
4. 彼らはテニスをした。
5. 彼はオルセー美術館を見物しなかった。

⓭ ───────────────

13-1 :
肯定形
例) je suis allée
tu   (es allée)
il   (est allé)
elle   (est allée)
nous (sommes allées)
vous (êtes allés)
ils   (sont allés)
elles (sont allées)

否定形
例) je ne suis pas allée
tu   (n'es pas allée)
il   (n'est pas allé)
elle   (n'est pas allée)
nous (ne sommes pas allées)
vous (n'êtes pas allés)
ils   (ne sont pas allés)
elles (ne sont pas allées)

13-2 :
肯定形
1. je   (suis venu)
2. tu   (es arrivé)
3. il   (est parti)
4. elle   (est entrée)
5. nous (sommes descendus)
6. vous (êtes devenues)
7. ils   (sont nés)
8. elles (sont mortes)

否定形
1. je   (ne suis pas venu)

2. tu   (n'es pas arrivé)

3. il   (n'est pas parti)

4. elle   (n'est pas entrée)

5. nous (ne sommes pas descendus)

6. vous (n'êtes pas devenues)

7. ils   (ne sont pas nés)

8. elles (ne sont pas mortes)

13-3 : 1. est arrivé / 2. sont restées /
　　　　3. êtes rentrés / 4. es tombée /
　　　　5. est entrée

13-4 : 1. sont partis / 2. sont venues /
　　　　3. est descendu / 4. est née /
　　　　5. est mort

13-5 : 1. Ils sont arrivés à Paris. /
　　　　2. Elle n'est pas devenue artiste. /
　　　　3. Il est sorti de l'hôpital. /
　　　　4. Tu n'es pas resté chez toi. /
　　　　5. Je suis rentrée tard.

13-6 : 1. Elle, restée / 2. Il, entré /
　　　　3. Elle, devenue / 4. Elles, venues /
　　　　5. Ils, sortis

1. 彼女は自宅にいた。

2. 彼は店に入った。

3. 彼女は芸術家にならなかった。

4. 彼女たちはパリから来た。

5. 彼らは退院した。

⓮ ────────────────

14-1 :

肯定形

例) je me suis réveillé(e)

tu   (t'es réveillé(e))

il   (s'est réveillé)

elle   (s'est réveillée)

nous (nous sommes réveillé(e)s)

vous (vous êtes réveillé(e)(s))

ils   (se sont réveillés)

elles (se sont réveillées)

否定形

例) je ne me suis pas réveillé(e)

tu   (ne t'es pas réveillé(e))

il   (ne s'est pas réveillé)

elle   (ne s'est pas réveillée)

nous (ne nous sommes pas réveillé(e)s)

vous (ne vous êtes pas réveillé(e)(s))

ils   (ne se sont pas réveillés)

elles (ne se sont pas réveillées)

14-2 :

肯定形

1. je   (me suis couchée)

2. tu   (t'es dépêchée)

3. il   (s'est reposé)

4. nous (nous sommes levées)

5. vous (vous êtes assis)

6. ils   (se sont souvenus)

否定形

1. je   (ne me suis pas couchée)

2. tu   (ne t'es pas dépêchée)

3. il   (ne s'est pas reposé)

4. nous (ne nous sommes pas levées)

5. vous (ne vous êtes pas assis)

6. ils   (ne se sont pas souvenus)

14-3 : 1. s'est promené / 2. se sont
　　　　réveillées / 3. t'es couché /
　　　　4. me suis assise / 5. s'est lavé

14-4 : 1. s'est assise / 2. ne s'est pas
　　　　souvenu / 3. me suis coupé /
　　　　4. t'es mariée / 5. s'est dépêché

14-5 : 1. me suis lavé / 2. ne me suis
　　　　pas couchée / 3. ne me suis pas
　　　　levé / 4. nous sommes dépêchés /
　　　　5. me suis bien reposé.

14-6 : Tu, es / 2. Elle, est / 3. Je, suis /
　　　　4. Vous, êtes / 5. Elles, sont

1. きみは庭園を散歩した。

2. 彼女は彼の隣に座った。

3. 私はその事故のことを覚えていない。

4. あなたは 10 時に寝た。

5. 彼女たちは若々しい服装をした。

チャレンジ問題 4 ─────────

Ch4-1 : 1. As-tu lu, ai lu, n'ai pas lu, l'ai lu, ne l'ai pas lu

2. A-t-elle téléphoné, a téléphoné, n'a pas téléphoné, lui a téléphoné, ne lui a pas téléphoné

3. Avez-vous reçu, ai reçu, n'ai pas reçu, l'ai reçu, ne l'ai pas reçu

Ch4-2 : 1. Est-elle allée, est allée, n'est pas allée, y est allée, n'y est pas allée

2. Es-tu revenu, suis revenu, ne suis pas revenu, en suis revenu, n'en suis pas revenu

3. Est-il monté, est monté, n'est pas monté, y est monté, n'y est pas monté

Ch4-3 : 1. T'es-tu souvenu, je me suis souvenu, je ne me suis pas souvenu

2. S'est-il reposé, il s'est reposé, il ne s'est pas reposé

3. Vous êtes-vous coupé, je me suis coupé, je ne me suis pas coupé

Ch4-4 : 1. a joué du violon / 2. vous avez fait hier / 3. avez-vous trouvé ce concert / 4. est-elle allée / 5. tu es rentré /

6. n'est-elle pas venue hier

⓯ ─────────────────

15-1 :

例) j'arriverai

tu   (arriveras)

il   (arrivera)

nous (arriverons)

vous (arriverez)

ils   (arriveront)

例) je prendrai

tu   (prendras)

il   (prendra)

nous (prendrons)

vous (prendrez)

ils   (prendront)

例) je me lèverai

tu   (te lèveras)

il   (se lèvera)

nous (nous lèverons)

vous (vous lèverez)

ils   (se lèveront)

15-2 :

1. il (aura)	nous (aurons)
2. il (sera)	nous (serons)
3. il (ira)	nous (irons)
4. il (viendra)	nous (viendrons)
5. il (pourra)	nous (pourrons)
6. il (voudra)	nous (voudrons)
7. il (fera)	nous (ferons)
8. il (saura)	nous (saurons)
9. il (verra)	nous (verrons)
10. il (devra)	nous (devrons)
11. il (finira)	nous (finirons)

15-3 : 1. arrivera / 2. aura /

3. viendra / 4. te lèveras /
    5. prendrez

15-4 : 1. serai / 2. verrons / 3. devrez /
    4. finira / 5. rentreront

15-5 : 1. sauras / 2. aurons / 3. ira /
    4. pourront / 5. fera

15-6 : 1. Elle, aura / 2. Ils, viendront /
    3. Je, lèverai / 4. Tu, seras /
    5. Il, fera

1. 彼女は 3 ヶ月後に 20 才になる。
2. 彼らは私たちの家に来ないでしょう。
3. 私は 6 時に起きるでしょう。
4. きみはこの町に満足するだろう。
5. 明日は晴れるだろう。

🔟 ————————————————

16-1 :

例) j'avais

tu   (avais)

il   (avait)

nous (avions)

vous (aviez)

ils   (avaient)

例) j'étais

tu   (étais)

il   (était)

nous (étions)

vous (étiez)

ils   (étaient)

例) je parlais

tu   (parlais)

il   (parlait)

nous (parlions)

vous (parliez)

ils   (parlaient)

16-2 :

1. il (attendait)   nous (attendions)

2. il (faisait)   nous (faisions)

3. il (lisait)   nous (lisions)

4. il (prenait)   nous (prenions)

5. il (voyait)   nous (voyions)

6. il (voulait)   nous (voulions)

16-3 : 1. parlait / 2. regardais /
    3. lisait, était / 4. venaient /
    5. étions, faisait

16-4 : 1. apprenais / 2. voulais /
    3. habitions / 4. voyais / 5. avait

16-5 : 1. partaient, sont partis /
    2. prenait, a pris, pleuvait /
    3. attendait, suis arrivé /
    4. aviez, avez écrit / 5. était, a
    joué

16-6 : 1. Il, regardait / 2. Nous, étions /
    3. Je, voulais / 4. il, avait /
    5. vous, partiez

1. その時彼はテレビを見ていた。
2. 1 月だった。
3. 私は歌手になりたかった。
4. 以前は、パソコンはなかった。
5. 毎年あなたは 7 月にヴァカンスに出かけ
   ていた。

解答

仕上げのチャレンジ問題

学習の仕上げとして、❶〜⓰までのそれぞれの文法項目を使って、日本語の文章を
フランス語にしましょう。解答・解説は上の二次元バーコードから確認できます。

❶ 名詞と不定冠詞・部分冠詞・定冠詞
 1）これは自転車です。

 2）そこにチーズがあります。

 3）ここに時計があります。

 4）病院があります。

 5）それは東駅 (gare de l'Est) です。

❷ 形容詞・所有形容詞・指示形容詞
 1）赤ワインがあります。

 2）これは彼らの学校です。

 3）そこに大きなテーブルがあります。

 4）これは私の新しい車です。

 5）白い猫がいます。

❸ 主語人称代名詞、動詞1（être, avoir）、前置詞1、疑問文、否定文1
 1）私たちはレストランの中にいます。

 2）彼は学生ですか？［倒置疑問で］

 3）— いいえ、彼は学生ではありません。

 4）きみは鉛筆（複数）を持っている？［イントネーションによる疑問で］

 5）— いや、もっていないんだ。

❹ 動詞2（第1群規則動詞、不規則動詞 aller, venir, partir, finir）
 1）彼女はバッグ (un sac) を買う。

 2）私はフランスに行く。

3) 彼らは明日 (demain) 出発する。

4) きみはアパルトマンを出る。

5) あなたは仕事 (le travail) を終える。

5 動詞 3、不定代名詞、否定文 2、前置詞 2
1) 彼はワインを飲みたがっている。

2) 私たちは明日来ることができます。

3) 彼らは何も食べない。

4) 彼女はもうピアノを弾(ひ)きません。

5) きみはヴァカンスの間にフランス語を学ぶ。

6 非人称構文、命令法
1) 3 時 15 分です。

2) いい天気です。

3) ドアを閉めなければならない。

4) 車から (de la voiture) 出なさい。［vous に対して］

5) ちょっと待って。［tu に対して］

7 近接未来、近接過去、avoir の成句 (avoir chaud, ...)
1) 私は彼の最新の小説を読むつもりだ。

2) 彼は買い物をするつもりだ。

3) 私たちは仕事 (le travail) を終えたところだ。

4) きみは昼食をとったところだ。

5) あなたは空腹ですか?

⑧ 疑問代名詞、疑問形容詞、疑問副詞、数量表現

1) あなたは何を探しているのですか？

2) この少年 (ce garçon) は誰ですか？

3) あなたはどんな果物 (複数) が好きですか？

4) 彼らはいつ到着しますか？

5) ホールにはたくさんの人々 (beaucoup de monde) がいます。

⑨ 強勢形人称代名詞、比較級、最上級、感嘆文

1) 彼は私より背が高い (grand)。

2) ジュリー（Julie, 女性）は彼よりも歌が上手だ。

3) テオ（Théo, 男性）はクラスで最も優秀な生徒 (élève) です。

4) 私はクラスで最も速く走る。

5) 彼はなんて親切 (gentil) なんだ！

⑩ 補語人称代名詞、中性代名詞 (y, en, le)

1) あなたはこの女性歌手 (cette chanteuse) を知っていますか？
　— はい、私は彼女を知っています。

2) きみはそのジャケット (cette veste) を着るの (mettre) ？
　— うん、それを着るよ。

3) 彼はあなたに何をたずねているのですか？
　— 彼は私に私の姓 (mon nom de famille) をたずねています。

4) 彼女は病院に行きますか？
　— いいえ、そこには行きません。

5) あなたは肉を食べますか？
　— はい、私はそれを食べます。

11 代名動詞
1）私の名前はアルバン (Alban) です。

2）彼は 7 時半に起きます。

3）私たちは彼らのことを覚えています。

4）私は手を洗います。

5）彼女は椅子に (sur la chaise) 座ります。

12 直説法複合過去形 1（avoir + 過去分詞）
1）きみは車を買った。

2）彼はドア (la porte) を閉めなかった。

3）私は仕事 (le travail) を終えた。

4）彼女はジョギング (du jogging) をした。

5）あなたはワイシャツ (une chemise) を着た。

13 直説法複合過去形 2（être + 過去分詞）
1）彼は映画を見に行った (aller au cinéma)。

2）彼らは家の中には入らなかった。

3）彼女は医者 (médecin) になった。

4）私（女性）は北駅で列車を降りた。

5）ドビュッシー（Debussy, 男性）は 1862 年に生まれた。

仕上げ

⓮ 直説法複合過去形 3（代名動詞, être ＋ 過去分詞）
1）彼女は 8 時に目を覚ました。

2）彼らは草の上に (sur l'herbe) 座った。

3）彼女は髪を洗った。

4）私（男性）は急がなかった。

5）私（女性）たちは休息をとった。

⓯ 直説法単純未来形
1）私たちは美術館に (au musée) 行くでしょう。

2）明日は暑いでしょう。

3）彼らはタクシーに乗る (prendre un taxi) でしょう。

4）私は旅に出る (partir en voyage) でしょう。

5）あなたの訪問 (visite) を、彼女は喜ぶ (être content) ことでしょう。

⓰ 直説法半過去形
1）その時 (alors)、私はバス (le bus) を待っていた。

2）その時 (alors)、きみは本 (un livre) を読んでいた。

3）彼女は 15 歳だった。

4）私は世界一周する (faire le tour du monde) ことを望んでいた。

5）以前 (Avant)、彼女はアルル (Arles) に住んでいた。

数字　0 ～ 10 000 まで

0 zéro	10 dix	20 vingt	30 trente
1 un	11 onze	21 vingt et un	31 trente et un
2 deux	12 douze	22 vingt-deux	32 trente-deux
3 trois	13 treize	23 vingt-trois	33 trente-trois
4 quatre	14 quatorze	24 vingt-quatre	34 trente-quatre
5 cinq	15 quinze	25 vingt-cinq	35 trente-cinq
6 six	16 seize	26 vingt-six	36 trente-six
7 sept	17 dix-sept	27 vingt-sept	37 trente-sept
8 huit	18 dix-huit	28 vingt-huit	38 trente-huit
9 neuf	19 dix-neuf	29 vingt-neuf	39 trente-neuf

40 quarante	50 cinquante	60 soixante
41 quarante et un	51 cinquante et un	61 soixante et un
42 quarante-deux	52 cinquante-deux	62 soixante-deux
43 quarante-trois	53 cinquante-trois	63 soixante-trois
44 quarante-quatre	54 cinquante-quatre	64 soixante-quatre
45 quarante-cinq	55 cinquante-cinq	65 soixante-cinq
46 quarante-six	56 cinquante-six	66 soixante-six
47 quarante-sept	57 cinquante-sept	67 soixante-sept
48 quarante-huit	58 cinquante-huit	68 soixante-huit
49 quarante-neuf	59 cinquante-neuf	69 soixante-neuf

70 soixante-dix	80 quatre-vingts	90 quatre-vingt-dix
71 soixante et onze	81 quatre-vingt-un	91 quatre-vingt-onze
72 soixante-douze	82 quatre-vingt-deux	92 quatre-vingt-douze
73 soixante-treize	83 quatre-vingt-trois	93 quatre-vingt-treize
74 soixante-quatorze	84 quatre-vingt-quatre	94 quatre-vingt-quatorze
75 soixante-quinze	85 quatre-vingt-cinq	95 quatre-vingt-quinze
76 soixante-seize	86 quatre-vingt-six	96 quatre-vingt-seize
77 soixante-dix-sept	87 quatre-vingt-sept	97 quatre-vingt-dix-sept
78 soixante-dix-huit	88 quatre-vingt-huit	98 quatre-vingt-dix-huit
79 soixante-dix-neuf	89 quatre-vingt-neuf	99 quatre-vingt-dix-neuf

100 cent	1 000 mille	10 000 dix mille

序数詞

・数詞に -ième を付けてつくる。基数詞の語末が e なら e を省く。
・数字の右肩に e を付けて表すことができる。
2e : deux + -ième → deuxième,　3e : trois + -ième → troisième
4e : quatre > quatr + -ième → quatrième
・例外 : 1er : premier / 1ère : première,　5e : cinquième,　9e : neuvième

$1^{er}/1^{ère}$	premier/première	11^e	onzième
2^e	deuxième *second(e) も用いられる	12^e	douzième
3^e	troisième	13^e	treizième
4^e	quatrième	14^e	quatorzième
5^e	cinquième	15^e	quinzième
6^e	sixième	16^e	seizième
7^e	septième	17^e	dix-septième
8^e	huitième	18^e	dix-huitième
9^e	neuvième	19^e	dix-neuvième
10^e	dixième	20^e	vingtième

21^e	vingt et unième	22^e	vingt-deuxième …	30^e	trentième …
40^e	quarantième	50^e	cinquantième	60^e	soixantième
70^e	soixante-dixième	80^e	quatre-vingtième	90^e	quatre-vingt-dixième
100^e	centième	$1\ 000^e$	millième	$1\ 000\ 000^e$	millionième

* 日付は 1 日のみ序数詞 : le 1er janvier　1 月 1 日
* 国主や皇帝も 1 世のみ序数詞 : François 1er　フランソワ 1 世

方位・四季・月・曜日

est　東　　　　ouest　西　　　　sud　南　　　　nord　北

(au) printemps　春(に)　　(en) été　夏(に)　　(en) automne　秋(に)　　(en) hiver　冬(に)

janvier	1 月	avril	4 月	juillet	7 月	octobre	10 月
février	2 月	mai	5 月	août	8 月	novembre	11 月
mars	3 月	juin	6 月	septembre	9 月	décembre	12 月

lundi　月曜日　mardi　火曜日　mercredi　水曜日　jeudi　木曜日　vendredi　金曜日
samedi　土曜日　dimanche　日曜日
* 方位・四季・月・曜日を表すこれらの名詞はすべて男性名詞

semaine　週　　　　mois　　月　　　　année / an　年
hier　　昨日　　　　demain　今日　　　aujourd'hui　明日

動 詞 活 用 表

1. avoir
2. être
3. aimer
4. finir
5. commencer
6. manger
7. appeler
8. acheter
9. lever
10. préférer
11. payer
12. employer
13. envoyer
14. aller

15. faire
16. courir
17. partir
18. ouvrir
19. mourir
20. venir
21. prendre
22. rendre
23. mettre
24. naître
25. connaître
26. rire
27. écrire
28. conduire

29. dire
30. lire
31. plaire
32. voir
33. croire
34. boire
35. s'asseoir
36. recevoir
37. devoir
38. pouvoir
39. vouloir
40. savoir
41. falloir
42. pleuvoir

不定形 分詞形	直説法				
	現在		複合過去		
1. avoir 持つ ayant eu(e)(s)	j' tu il nous vous ils	ai as a avons avez ont	j' tu il nous vous ils	ai as a avons avez ont	eu eu eu eu eu eu
2. être …である・ある／いる étant été	je tu il nous vous ils	suis es est sommes êtes sont	j' tu il nous vous ils	ai as a avons avez ont	été été été été été été
3. aimer 愛する aimant aimé(e)(s)	j' tu il nous vous ils	aime aimes aime aimons aimez aiment	j' tu il nous vous ils	ai as a avons avez ont	aimé aimé aimé aimé aimé aimé
4. finir 終わる／終える finissant fini(e)(s)	je tu il nous vous ils	finis finis finit finissons finissez finissent	j' tu il nous vous ils	ai as a avons avez ont	fini fini fini fini fini fini
5. commencer 始める、始まる commençant commencé(e)(s)	je tu il nous vous ils	commence commences commence commençons commencez commencent	j' tu il nous vous ils	ai as a avons avez ont	commencé commencé commencé commencé commencé commencé
6. manger 食べる mangeant mangé(e)(s)	je tu il nous vous ils	mange manges mange mangeons mangez mangent	j' tu il nous vous ils	ai as a avons avez ont	mangé mangé mangé mangé mangé mangé
7. appeler 呼ぶ appelant appelé(e)(s)	j' tu il nous vous ils	appelle appelles appelle appelons appelez appellent	j' tu il nous vous ils	ai as a avons avez ont	appelé appelé appelé appelé appelé appelé

直説法		命令形	同型活用の動詞 （注意）
半過去	単純未来	現在	
j'　　avais tu　　avais il　　avait nous　avions vous　aviez ils　　avaient	j'　　aurai tu　　auras il　　aura nous　aurons vous　aurez ils　　auront	aie ayons ayez	
j'　　étais tu　　étais il　　était nous　étions vous　étiez ils　　étaient	je　　serai tu　　seras il　　sera nous　serons vous　serez ils　　seront	sois soyons soyez	
j'　　aimais tu　　aimais il　　aimait nous　aimions vous　aimiez ils　　aimaient	j'　　aimerai tu　　aimeras il　　aimera nous　aimerons vous　aimerez ils　　aimeront	aime aimons aimez	
je　　finissais tu　　finissais il　　finissait nous　finissions vous　finissiez ils　　finissaient	je　　finirai tu　　finiras il　　finira nous　finirons vous　finirez ils　　finiront	finis finissons finissez	
je　　commençais tu　　commençais il　　commençait nous　commencions vous　commenciez ils　　commençaient	je　　commencerai tu　　commenceras il　　commencera nous　commencerons vous　commencerez ils　　commenceront	commence commençons commencez	annoncer, avancer, lancer, remplacer, など
je　　mangeais tu　　mangeais il　　mangeait nous　mangions vous　mangiez ils　　mangeaient	je　　mangerai tu　　mangeras il　　mangera nous　mangerons vous　mangerez ils　　mangeront	mange mangeons mangez	arranger, bou- ger, changer, déranger, nager, partager, ranger, voyager など
j'　　appelais tu　　appelais il　　appelait nous　appelions vous　appeliez ils　　appelaient	j'　　appellerai tu　　appelleras il　　appellera nous　appellerons vous　appellerez ils　　appelleront	appelle appelons appelez	jeter, rappeler など

不定形 分詞形	直説法			
	現在		複合過去	
8. acheter 買う achetant acheté(e)(s)	j' tu il nous vous ils	achète achètes achète achetons achetez achètent	j' tu il nous vous ils	ai as a avons avez ont	acheté acheté acheté acheté acheté acheté
9. lever 起こす levant levé(e)(s)	je tu il nous vous ils	lève lèves lève levons levez lèvent	j' tu il nous vous ils	ai as a avons avez ont	levé levé levé levé levé levé
10. préférer より好む préférant préféré(e)(s)	je tu il nous vous ils	préfère préfères préfère préférons préférez préfèrent	j' tu il nous vous ils	ai as a avons avez ont	préféré préféré préféré préféré préféré préféré
11. payer 支払う payant payé(e)(s)	je tu il nous vous ils	paie (paye) paies (payes) paie (paye) payons payez paient (payent)	j' tu il nous vous ils	ai as a avons avez ont	payé payé payé payé payé payé
12. employer 使う・雇う employant employé(e)(s)	j' tu il nous vous ils	emploie emploies emploie employons employez emploient	j' tu il nous vous ils	ai as a avons avez ont	employé employé employé employé employé employé
13. envoyer 送る envoyant envoyé(e)(s)	j' tu il nous vous ils	envoie envoies envoie envoyons envoyez envoient	j' tu il nous vous ils	ai as a avons avez ont	envoyé envoyé envoyé envoyé envoyé envoyé
14. aller 行く allant allé(e)(s)	je tu il nous vous ils	vais vas va allons allez vont	je tu il nous vous ils	suis es est sommes êtes sont	allé(e) allé(e) allé allé(e)s allé(e)(s) allés

直説法		命令形	同型活用の動詞 (注意)
半過去	単純未来	現在	
j' achetais tu achetais il achetait nous achetions vous achetiez ils achetaient	j' achèterai tu achèteras il achètera nous achèterons vous achèterez ils achèteront	achète achetons achetez	
je levais tu levais il levait nous levions vous leviez ils levaient	je lèverai tu lèveras il lèvera nous lèverons vous lèverez ils lèveront	lève levons levez	amener, élever, emmener, mener, peser, promener, relever など
je préférais tu préférais il préférait nous préférions vous préfériez ils préféraient	je préférerai tu préféreras il préférera nous préférerons vous préférerez ils préféreront	préfère préférons préférez	espérer, répéter など
je payais tu payais il payait nous payions vous payiez ils payaient	je paierai (payerai) tu paieras (payeras) il paiera (payera) nous paierons (payerons) vous paierez (payerez) ils paieront (payeront)	paie (paye) payons payez	essayer など
j' employais tu employais il employait nous employions vous employiez ils employaient	j' emploierai tu emploieras il emploiera nous emploierons vous emploierez ils emploieront	emploie employons employez	nettoyer など
j' envoyais tu envoyais il envoyait nous envoyions vous envoyiez ils envoyaient	j' enverrai tu enverras il enverra nous enverrons vous enverrez ils enverront	envoie envoyons envoyez	
j' allais tu allais il allait nous allions vous alliez ils allaient	j' irai tu iras il ira nous irons vous irez ils iront	va allons allez	

不定形 分詞形	直説法			
	現在		複合過去	
15. faire する・つくる faisant fait(e)(s)	je fais tu fais il fait nous faisons vous faites ils font		j' ai fait tu as fait il a fait nous avons fait vous avez fait ils ont fait	
16. courir 走る courant couru(e)(s)	je cours tu cours il court nous courons vous courez ils courent		j' ai couru tu as couru il a couru nous avons couru vous avez couru ils ont couru	
17. partir 出発する partant parti(e)(s)	je pars tu pars il part nous partons vous partez ils partent		je suis parti(e) tu es parti(e) il est parti nous sommes parti(e)s vous êtes parti(e)(s) ils sont partis	
18. ouvrir 開ける ouvrant ouvert(e)(s)	j' ouvre tu ouvres il ouvre nous ouvrons vous ouvrez ils ouvrent		j' ai ouvert tu as ouvert il a ouvert nous avons ouvert vous avez ouvert ils ont ouvert	
19. mourir 死ぬ mourant mort(e)(s)	je meurs tu meurs il meurt nous mourons vous mourez ils meurent		je suis mort(e) tu es mort(e) il est mort nous sommes mort(e)s vous êtes mort(e)(s) ils sont morts	
20. venir 来る venant venu(e)(s)	je viens tu viens il vient nous venons vous venez ils viennent		je suis venu(e) tu es venu(e) il est venu nous sommes venu(e)s vous êtes venu(e)(s) ils sont venus	
21. prendre とる prenant pris(e)(s)	je prends tu prends il prend nous prenons vous prenez ils prennent		j' ai pris tu as pris il a pris nous avons pris vous avez pris ils ont pris	

直説法			命令形	同型活用の動詞
半過去		単純未来	現在	（注意）
je faisais tu faisais il faisait nous faisions vous faisiez ils faisaient	je ferai tu feras il fera nous ferons vous ferez ils feront		fais faisons faites	
je courais tu courais il courait nous courions vous couriez ils couraient	je courrai tu courras il courra nous courrons vous courrez ils courront		cours courons courez	
je partais tu partais il partait nous partions vous partiez ils partaient	je partirai tu partiras il partira nous partirons vous partirez ils partiront		pars partons partez	sortir, dormir, sentir, servir, mentir など
j' ouvrais tu ouvrais il ouvrait nous ouvrions vous ouvriez ils ouvraient	j' ouvrirai tu ouvriras il ouvrira nous ouvrirons vous ouvrirez ils ouvriront		ouvre ouvrons ouvrez	couvrir, découvrir, offrir, souffrir など
je mourais tu mourais il mourait nous mourions vous mouriez ils mouraient	je mourrai tu mourras il mourra nous mourrons vous mourrez ils mourront		meurs mourons mourez	
je venais tu venais il venait nous venions vous veniez ils venaient	je viendrai tu viendras il viendra nous viendrons vous viendrez ils viendront		viens venons venez	convenir, devenir, revenir, se souvenir, tenir, obtenir など
je prenais tu prenais il prenait nous prenions vous preniez ils prenaient	je prendrai tu prendras il prendra nous prendrons vous prendrez ils prendront		prends prenons prenez	apprendre, comprendre, reprendre など

不定形 分詞形	直説法				
	現在		複合過去		
22. rendre 返す rendant rendu(e)(s)	je tu il nous vous ils	rends rends rend rendons rendez rendent	j' tu il nous vous ils	ai as a avons avez ont	rendu rendu rendu rendu rendu rendu
23. mettre 置く mettant mis(e)(s)	je tu il nous vous ils	mets mets met mettons mettez mettent	j' tu il nous vous ils	ai as a avons avez ont	mis mis mis mis mis mis
24. naître 生まれる naissant né(e)(s)	je tu il nous vous ils	nais nais naît naissons naissez naissent	je tu il nous vous ils	suis es est sommes êtes sont	né(e) né(e) né né(e)s né(e)(s) nés
25. connaître 知る connaissant connu(e)(s)	je tu il nous vous ils	connais connais connaît connaissons connaissez connaissent	j' tu il nous vous ils	ai as a avons avez ont	connu connu connu connu connu connu
26. rire 笑う riant ri	je tu il nous vous ils	ris ris rit rions riez rient	j' tu il nous vous ils	ai as a avons avez ont	ri ri ri ri ri ri
27. écrire 書く écrivant écrit(e)(s)	j' tu il nous vous ils	écris écris écrit écrivons écrivez écrivent	j' tu il nous vous ils	ai as a avons avez ont	écrit écrit écrit écrit écrit écrit
28. conduire 導く conduisant conduit(e)(s)	je tu il nous vous ils	conduis conduis conduit conduisons conduisez conduisent	j' tu il nous vous ils	ai as a avons avez ont	conduit conduit conduit conduit conduit conduit

直説法		命令形	同型活用の動詞
半過去	単純未来	現在	（注意）
je rendais tu rendais il rendait nous rendions vous rendiez ils rendaient	je rendrai tu rendras il rendra nous rendrons vous rendrez ils rendront	rends rendons rendez	attendre, dépendre. descendre, entendre, perdre, répondre, vendre など
je mettais tu mettais il mettait nous mettions vous mettiez ils mettaient	je mettrai tu mettras il mettra nous mettrons vous mettrez ils mettront	mets mettons mettez	permettre, promettre, remettre など
je naissais tu naissais il naissait nous naissions vous naissiez ils naissaient	je naîtrai tu naîtras il naîtra nous naîtrons vous naîtrez ils naîtront	nais naissons naissez	
je connaissais tu connaissais il connaissait nous connaissions vous connaissiez ils connaissaient	je connaîtrai tu connaîtras il connaîtra nous connaîtrons vous connaîtrez ils connaîtront	connais connaissons connaissez	disparaître, paraître, reconnaître など
je riais tu riais il riait nous riions vous riiez ils riaient	je rirai tu riras il rira nous rirons vous rirez ils riront	ris rions riez	sourire など
j' écrivais tu écrivais il écrivait nous écrivions vous écriviez ils écrivaient	j' écrirai tu écriras il écrira nous écrirons vous écrirez ils écriront	écris écrivons écrivez	inscrire など
je conduisais tu conduisais il conduisait nous conduisions vous conduisiez ils conduisaient	je conduirai tu conduiras il conduira nous conduirons vous conduirez ils conduiront	conduis conduisons conduisez	construire, cuire, détruire, produire など

不定形 分詞形	直説法			
	現在		複合過去	
29. dire 言う disant dit(e)(s)	je dis tu dis il dit nous disons vous dites ils disent		j' ai dit tu as dit il a dit nous avons dit vous avez dit ils ont dit	
30. lire 読む lisant lu(e)(s)	je lis tu lis il lit nous lisons vous lisez ils lisent		j' ai lu tu as lu il a lu nous avons lu vous avez lu ils ont lu	
31. plaire 気に入る plaisant plu	je plais tu plais il plaît nous plaisons vous plaisez ils plaisent		j' ai plu tu as plu il a plu nous avons plu vous avez plu ils ont plu	
32. voir 見る voyant vu(e)(s)	je vois tu vois il voit nous voyons vous voyez ils voient		j' ai vu tu as vu il a vu nous avons vu vous avez vu ils ont vu	
33. croire 信じる croyant cru(e)(s)	je crois tu crois il croit nous croyons vous croyez ils croient		j' ai cru tu as cru il a cru nous avons cru vous avez cru ils ont cru	
34. boire 飲む buvant bu(e)(s)	je bois tu bois il boit nous buvons vous buvez ils boivent		j' ai bu tu as bu il a bu nous avons bu vous avez bu ils ont bu	
35. s'asseoir 座る s'asseyant assis(e)(s)	je m'assieds tu t'assieds il s'assied nous nous asseyons vous vous asseyez ils s'asseyent		je me suis assis(e) tu t'es assis(e) il s'est assis nous nous sommes assis(e)s vous vous êtes assis(e)(s) ils se sont assis	

直説法		命令形	同型活用の動詞
半過去	単純未来	現在	（注意）
je disais tu disais il disait nous disions vous disiez ils disaient	je dirai tu diras il dira nous dirons vous direz ils diront	dis disons dites	
je lisais tu lisais il lisait nous lisions vous lisiez ils lisaient	je lirai tu liras il lira nous lirons vous lirez ils liront	lis lisons lisez	
je plaisais tu plaisais il plaisait nous plaisions vous plaisiez ils plaisaient	je plairai tu plairas il plaira nous plairons vous plairez ils plairont	plais plaisons plaisez	
je voyais tu voyais il voyait nous voyions vous voyiez ils voyaient	je verrai tu verras il verra nous verrons vous verrez ils verront	vois voyons voyez	revoir など
je croyais tu croyais il croyait nous croyions vous croyiez ils croyaient	je croirai tu croiras il croira nous croirons vous croirez ils croiront	crois croyons croyez	
je buvais tu buvais il buvait nous buvions vous buviez ils buvaient	je boirai tu boiras il boira nous boirons vous boirez ils boiront	bois buvons buvez	
je m'asseyais tu t'asseyais il s'asseyait nous nous asseyions vous vous asseyiez ils s'asseyaient	je m'assiérai tu t'assiéras il s'assiéra nous nous assiérons vous vous assiérez ils s'assiéront	assieds-toi asseyons-nous asseyez-vous	

不定形 分詞形	直説法			
	現在		複合過去	
36. recevoir 受け取る recevant reçu(e)(s)	je tu il nous vous ils	reçois reçois reçoit recevons recevez reçoivent	j' tu il nous vous ils	ai reçu as reçu a reçu avons reçu avez reçu ont reçu
37. devoir 〜しなければならない devant 男性 dû(dus) 女性 due(s)	je tu il nous vous ils	dois dois doit devons devez doivent	j' tu il nous vous ils	ai dû as dû a dû avons dû avez dû ont dû
38. pouvoir 〜できる pouvant pu	je tu il nous vous ils	peux (puis) peux peut pouvons pouvez peuvent	j' tu il nous vous ils	ai pu as pu a pu avons pu avez pu ont pu
39. vouloir 〜したい voulant voulu(e)(s)	je tu il nous vous ils	veux veux veut voulons voulez veulent	j' tu il nous vous ils	ai voulu as voulu a voulu avons voulu avez voulu ont voulu
40. savoir 知る sachant su(e)(s)	je tu il nous vous ils	sais sais sait savons savez savent	j' tu il nous vous ils	ai su as su a su avons su avez su ont su
41. falloir 〜が必要だ／〜しなければならない - - - fallu	il	faut	il	a fallu
42. pleuvoir 雨が降る pleuvant plu	il	pleut	il	a plu

直説法		命令形	同型活用の動詞
半過去	単純未来	現在	（注意）
je recevais tu recevais il recevait nous recevions vous receviez ils recevaient	je recevrai tu recevras il recevra nous recevrons vous recevrez ils recevront	reçois recevons recevez	
je devais tu devais il devait nous devions vous deviez ils devaient	je devrai tu devras il devra nous devrons vous devrez ils devront	dois devons devez	
je pouvais tu pouvais il pouvait nous pouvions vous pouviez ils pouvaient	je pourrai tu pourras il pourra nous pourrons vous pourrez ils pourront	- - - - - - - - - - - -	
je voulais tu voulais il voulait nous voulions vous vouliez ils voulaient	je voudrai tu voudras il voudra nous voudrons vous voudrez ils voudront	veuille (veux) (voulons) veuillez (voulez)	
je savais tu savais il savait nous savions vous saviez ils savaient	je saurai tu sauras il saura nous saurons vous saurez ils sauront	sache sachons sachez	
il fallait	il faudra		
il pleuvait	il pleuvra		

著者紹介

大久保 政憲（おおくぼ まさのり）
中央大学文学部卒業、中央大学文学部博士課程後期満期中退
千葉工業大学教授として長年フランス語教育に携わる。
翻訳に『認知科学と言語理解』（勁草書房・共訳）などがある。また、
著書に教科書『話してみようフランス語 ―Oui；-)』、『きみと話した
い！ フランス語』、共著に『きみはな ―きみと話したい！フランス語 スマー
ト版』（いずれも朝日出版社）などがある。
デジタル技術に関しても、フランス語学習サイトや Web 辞書の作成
など、様々な試みを続けている。

校閲・録音：Christophe PAGÈS
録音：Midori THIOLLIER
装丁：メディア・アート

フランス語練習カイエ

検印
省略

© 2021 年 7 月 30 日 初 版 発 行

著　者　　　　大 久 保　政 憲

発行者　　　　原　　　雅　　久
発行所　　　　株式会社 朝 日 出 版 社

101-0065　東京都千代田区西神田 3-3-5
代表電話（03）3263-3321
振替口座 00140-2-46008
http://www.asahipress.com/

組 版　　　　有限会社ファースト
印 刷　　　　図書印刷株式会社

乱丁、落丁本はお取り替えいたします。
ISBN978-4-255-01247-6　C0085